JN077289

PROTEST!

日本語版ブックデザイン｜HON DESIGN
ディレクション｜三好圭子（青幻舎）
日本語版編集｜楠田博子（青幻舎）
翻訳協力｜株式会社トランネット

プロテストってなに？
世界を変えたさまざまな社会運動

発行日　2021年9月1日

著者　アリス&エミリー・ハワース=ブース
翻訳　糟野桃代

発行者 安田洋子
発行所　株式会社 青幻舎インターナショナル
発売元　株式会社 青幻舎
京都市中京区梅忠町9-1　〒604-8136
TEL. 075-252-6766
FAX. 075-252-6770
http：//www.seigensha.com

ISBN 978-4-86152-841-5 C0036

PROTEST!
Published by arrangement with Pavilion Books Company Limited
This Japenese edition first published in 2021 by Seigensha Art Publishing, Inc, Kyoto
Printed and Bound by Vivar Printing Sdn Bhd, Malaysia.

Editors: Hattie Grylls and Martha Owen
Designer: Alice Haworth-Booth
Colour assistant: Rachel Stubbs

PROTEST!

プロテストってなに？

世界を変えた
さまざまな社会運動

アリス＆エミリー・ハワース＝ブース

あきらめない心をもつ大人と子どもたちへ

目次

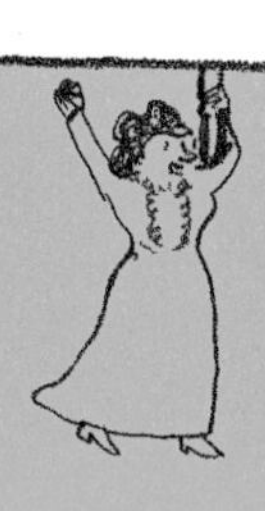

6. 独立と抵抗

7. 自由と公民権

8. 立ち上がる者たち

9. 市民の力による革命

10. 行動を起こし、声を上げる

11. 世界的な蜂起

12. 新しい草の根運動

自由とは、
「ほかでもない自分自身こそが
自らを導いてくれる存在である」と
気づくこと
ダイアン・ナッシュ　公民権運動家

はじめに

2003年、ロンドン。私たち姉妹は、初めて大規模な抗議活動に参加しました。――それは、イラク戦争反対のデモ行進でした。会場に着いたらどんなことが待ち受けているか、まったく想像もつかなかった私たち。乗り込んだ電車のなかで、プラカードを持ったほかの乗客とおずおず微笑みあったのを覚えています。目的地に着くと、それまで見たこともないくらい大勢の人がどっと駅からあふれて、とても驚きました。でも、人混みのなかにいるうちに、徐々に安心感が湧いてきたのです。デモが始まると、みんなで通りを埋め尽くし、声を合わせて歌ったり、スローガンを叫んだり。戦争という悲しい出来事を非難するための抗議でしたが、あのとき私たちの胸を占めていたのは、人間に対するひとつの愛のかたちでした。

当時、世界のあらゆるところで何千万人もの人が反戦活動をしていました。それでも、戦争は変わらず起こっていました。だから、「これ以上抗議をしたところで何になるんだろう？」と思っていた人もたくさんいたでしょう。しかし、デモ行進をすることは、変化へと続くもっと大きなうねりのなかの、わずか一部分にすぎないのです。「ある抗議が成功するための確実な方法」なんてものは存在しません。どれほど多くの賛同者を集めたとしても同じです。さらに言えば、成功するとしても、プラカードに自分が書いた内容と必ず一致するとも限らないのです。

抗議の力学というのは、不思議なものです。何か特定のゴールを達成するよりも、活動そのものを確立していくことこそが、勝利を意味することもあります。あるいは、シンプルにみんなで力を合わせて、希望と喜びを持ち続けるだけで十分な場合もあります。――カール・マルクスは、革命とは1匹のモグラのようなものだと考えていました。ほとんどの場面では地面のなかに隠れているが、着実に前へ進んでいき、急に地上へと表われるのだ、と。何も変わっていないように見えて、じつは水面下で進化が起きているのです。確かに、私たちが参加したデモも、それだけでは戦争を止めることはできませんでした。それでも、参加者1人ひとりの背景のちがいを乗り越えて、長期的には害をもたらすだろう政府の選択に対し、グローバルに戦っていく――そんな活力に満ちた運動を作り出していたのだと思っています。

はじめてデモに参加して以来、私たち姉妹は、どんなものでも抗議活動になりうるのだと知りました。踊ったり、ランチカウンターに座ったり、家からテレビを持ち出して外を歩いたり、野菜を育てたり、山でキャンプをしたり、歌ったり、棒の先端にパンを刺して掲げて歩いたり……。こうしたものすべてが、歴史を動かしてきたのです。抗議活動とはそれ自体がアートであって、常にかたちを変えていきます。ただ、その中心にある考え方はいつも同じ。みんなでひとつになって、真実を語り、世界を変えていくということです。

歴史のなかでも有名な抗議活動の多くには、それぞれ特別な名前がついています。マーティン・ルーサー・キング・ジュニアやマハトマ・ガンジーのように、1人のリーダーが素晴らしいアイデアを提唱して、運動を先導した例もあります。でも、何よりも大切なのは、人々が力を合わせていく試みそのもの。そして、主役は1人ひとりの個人なのです。

そうやって団結して行動を起こしていった人々こそ、この本で紹介するリアルなヒーローです。抗議活動を語るうえで重要なのは、歴史に刻まれた人の名前や世界を変えた出来事の名称ではなく、そこでどんな行動が為されたのかということ。公民権や性的マイノリティの権利を勝ち取り、今日の私たちに女性の投票権や8時間労働制をもたらし、独裁政権を倒して国家を解放していったのは、紛れもなくそこに生きた人々の行動だからです。

世界がこの先どうなっていくのかは、あなた次第なのです。

アリス&エミリー・ハワース=ブース　2021年

読者のみなさんへ

この本は、抗議活動の歴史を網羅的に書いたものではありません。非暴力的な抗議活動に絞って、有名なものも、あまり世に知られていないものも織り交ぜて紹介しています。数少ない出来事をこと細かに記述していくより、抗議活動にさまざまな可能性を感じてもらえるよう、幅広く事例を拾っていくように心がけました。それでも、抗議活動の歴史は世界の歴史といっても過言ではなく、ここで取り上げられなかったものもたくさんあります。そして、抗議活動自体はこれほど盛んなのに、権力を持つ側が抵抗の記憶を消し去りたかったがために、歴史のなかで正式な記録が残されていないことも多いのです。

私たちはこの本を、抗議活動をした人の立場に立って、個人的にも共感できるものを取り上げて書いていきました。抗議活動の目的とは多様なものなので、我々もそのすべてに賛同しているわけではありません。読者のみなさんをインスパイアしたくて書いた本なので、民主主義や人権や、社会の抑圧からの解放を題材にしているものをとくに選ぶようにしました。

本書では基本的に、抗議活動の歴史を時系列に沿って追っていきます。たまに、何回か重複して触れるものがあったり、テーマの親和性からひとまとめにしたものもあったりします。気が向いたところから拾い読みしていただいてかまいません。もちろん、初めから順に読んでいくなかで、個々の抗議活動がときに時代を超えて展開し、将来の活動に息づいているさまを感じていただくのもよいでしょう。各章の終わりには「抗議の方法」というセクションも設けていて、たとえばキャンプや演劇や音など、特定の抗議手法の事例を集めて紹介しています。

抗議活動という経験は、あなたがどのような立場で、公権力側からどう見られているかによって大きく変わります。公に抗議をすることが禁止されているような環境下でも、クリエイティブな方法を編み出して安全に抗議活動を展開した例もたくさんあります。しかし、本書で紹介した事例のなかにもハッピーエンドを迎えられなかったものはありますし、多くの場合、警察や国家による暴力がつきものです。だからこそ、自分が有している権利を知り、抗議活動はときにリスクをともなうものなのだと、よく理解しておくことが大切です。

手慣れたの抗議活動家たちは、入念な調査と徹底的な準備をしたうえで、自分の居場所が友人に伝わるように常に誰かとペアになって動きます。もしあなたが抗議活動に参加してみようと思うなら、自分の国の法律をよく調べて、友人か家族と一緒に行動し、そして必ず、自分の身の安全を確保するようにしてくださいね。

座り込みを
してみよう

古代の世界で起こった抗議活動

石材が重すぎる！

労働者史上初のストライキ　古代エジプト　紀元前1170年

エジプトのファラオ、ラムセス3世は、死後の世界に自分の財宝をまるごと持っていくための巨大な装置として、ピラミッドをたくさん建てようと考えた。さて、宝石は山ほど用意したものの、ピラミッドの完成は間に合うのか——。彼は心配でたまらなかった。

一方で、実際にピラミッドを造る人々は、もっと深刻な悩みを抱えていた。仕事はとても過酷なのに、労働の引き換えとなる食糧はほんの少ししか支給されない。作業現場は暑いし、ほこりっぽいし……。劣悪な労働環境をどうにかしたいと考えた働き手たちは、作業を放棄して座り込みを実行し、ついには追加の食糧支給を勝ち取った。シンプルな抗議行動によって、まさに歴史が変わった瞬間だった。

ピラミッド労働者の座り込み抗議は、記録に残っているストライキの例としては史上初めてのことだった。みんなで団結して働くのを拒否すれば、ときに権力者の支配をも上回る力になる――。これを皮切りに「ストライキ」という有用なツールはあちこちで活用されるようになり、現在に至るまで、労働者の権利を勝ち取る手法として世界中で生き続けている。

みんなどこへ行った？

市民たちがローマを去る　紀元前494〜287年

古代ローマも古代エジプトと同じように、格差が激しい社会だった。裕福で権力ある少数の貴族（パトリキ）がすべての決定権を握っていて、自分たちの暮らしを豊かにすることしか考えていなかったからだ。それ以外の市民は、せっせと野菜を育て、家畜の世話をし、建物を建て、店を切り盛りし、そのうえ戦争に駆り出された。こうした市民（プレブス）たちこそが社会を支えている存在であるにもかかわらず、その社会のルールを決める発言権は与えられていない。でも彼らには、仲間どうしのつながりと、ともに立ち上がろうという気概があった。そこで市民は一致団結して、自らの権利をつかむために戦うことにしたのだった。

「みんなで一斉に街を出て行けば、僕たちがどんなに大事な役割を担っていたか、貴族もきっと気がつくのでは？」そう考えた市民らは、近くの山へとひきこもった。そして、貴族が市民の声を聞き、状況を変えることに同意するまで、頑として動かなかった。こうして初めて、市民も自らの代表者を政治機関に送り込めることになったのだ。

市民はたびたび街を去る行動（一斉退去）を起こし、そのたびに新しい権利を勝ち取っていった。たとえば、より公平な法制度や、階級がことなる人どうしが結婚できる権利や、市民でも高位の政治機関に選出される権利などがその例として挙げられる。

［困る貴族たち…］

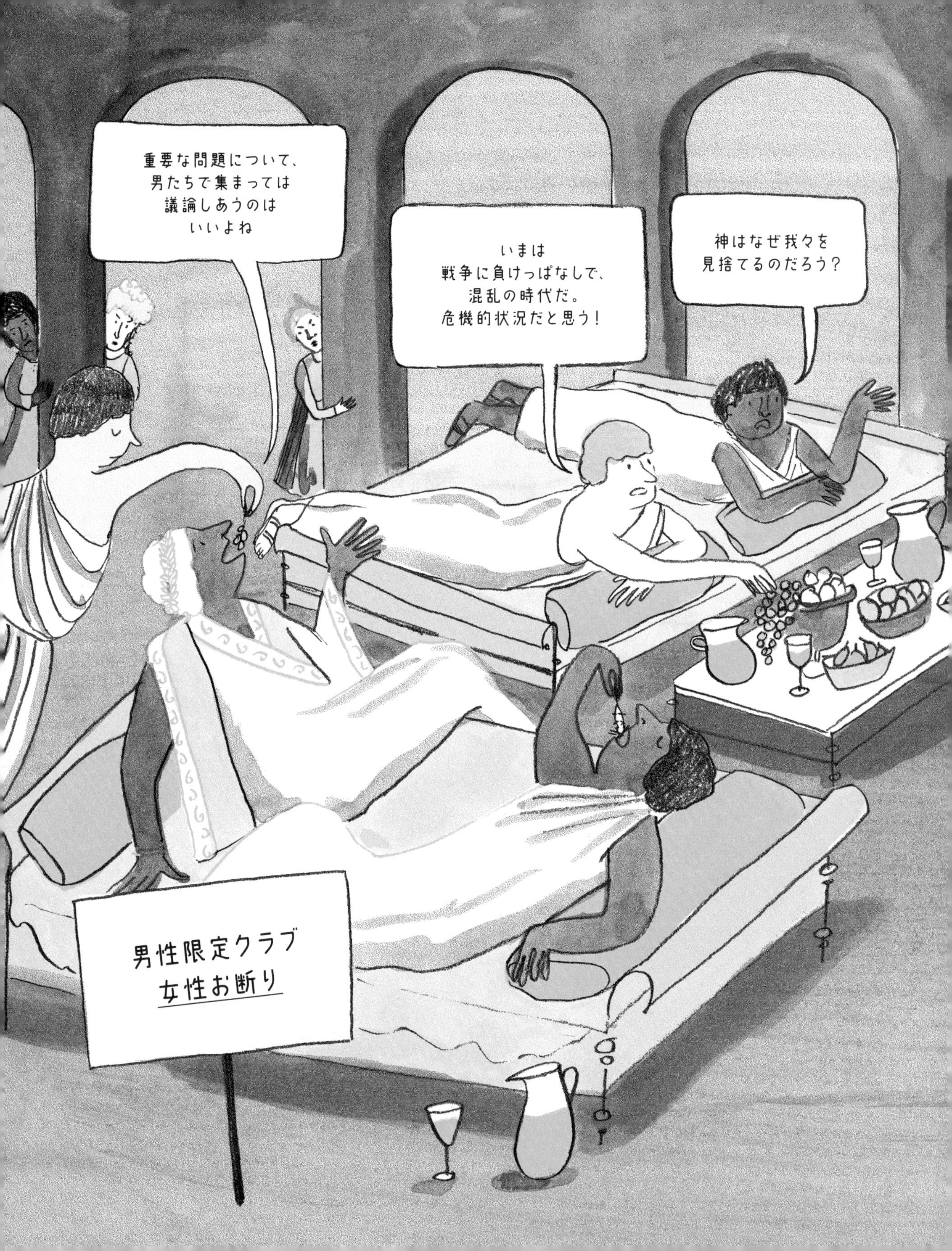
重要な問題について、
男たちで集まっては
議論しあうのは
いいよね
いまは
戦争に負けっぱなしで、
混乱の時代だ。
危機的状況だと思う！
神はなぜ我々を
見捨てるのだろう？
男性限定クラブ
女性お断り

おしゃれをめぐる戦い

ローマの女性たちの行進　ローマ　紀元前195年

古代ローマの女性の暮らしは大変だった。裕福でも貧しくても、階級にも関係なく、男性のいうことを聞かなくてはならない。ローマがカンナエの戦い[注]で惨敗したあと、男性たちは「オッピア法」という倹約令を出した。それは、女性が金や宝石などの装飾品や明るい色の服を身につけることを禁じるものだった。

「装う」とは、単に「服を着る」ということではない。裕福な女性たちは、華やかな装いによって、自身が夫と同じくらい重要で、きちんと扱われるべき存在だということを表現していたのだ（そもそも虐げられていたより階級の低い女性は、そういうわけにもいかなかったが）。

女性たちは、地味な色の服で20年間は我慢した。その後、戦争が終わって経済危機が去り、これでやっと元どおりおしゃれができると思いきや、男性たちはまともにこの問題を取り扱おうとしなかった。そこで、彼女らは一斉に街へ繰り出して、通りを占拠した。行き交う男性をつかまえては、倹約令を廃止するように訴えたのだ。その勢いはあまりに激しく、ついに男性たちを降参させ、女性は再び思い思いにおしゃれを楽しめるようになったのだった。

[注] 紀元前216年にアプリア地方のカンナエで起きた、ハンニバル率いるカルタゴ軍とローマ軍との戦い。

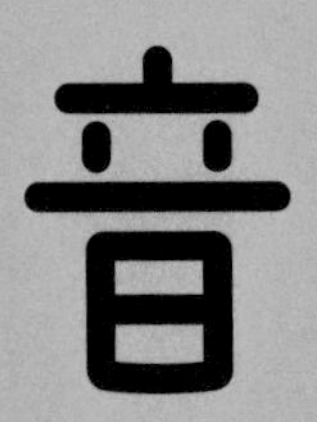

歌を歌ったり、太鼓を打ち鳴らしたり。沈黙したり、騒いだり。
音をうまく使うことで、人はみんなで希望を掲げ、声を上げてきた。

中世の鐘　1300年代

イングランドにおける農民一揆では、教会の鐘が特別な役割を果たした。抗議に加わる人々が村の広場で作戦を練る際の集合の合図として、はるか遠く響きわたる鐘の音が用いられた。

歌う革命　1991年

バルト3国（エストニア、ラトビア、リトアニア）は、何年にもわたりソビエト連邦からの離脱を望んでいた。群衆が抗議活動において自分たちの祖国の国歌を合唱するようになると、その機運は抑えがたいうねりとなり、やがて3国はそれぞれ独立を勝ち取っていった。

ごみ箱の音楽　2015年

長引く内戦によりデモ行進に参加するのが危険なシリアでは、抗議する市民が首都・ダマスカスの街じゅうのごみ箱や肥料の山に小さなスピーカーを仕込んだ。そのため、あちこちから流れてくる抗議の歌を止めるべく、警察はせっせとごみをかきわける羽目になった。

ネダ　2009年

イランでの大統領選の結果をめぐる反政府デモに参加していた、ネダという20代の女性が撃たれて亡くなったとき、人々は哀悼の気持ちを示そうとしたが、政府は彼女について語るのを禁じた。じつはこの「ネダ」という名前はイランではとても一般的で、ポップソングの歌詞にもよく登場するほど。そこで、人々はそうした歌を携帯電話の着信音に設定することで、電話が鳴るたびにみんなが彼女のことを思い出せるようにした。

プッシー・ライオット　2012年

ネオン色の衣装に身を包んだフェミニストたちによるロシアのパンク・バンド「プッシー・ライオット」は、モスクワにあるロシア正教会の大聖堂に踏み込み、無許可演奏をしたために逮捕された。だがそれがきっかけでバンドの知名度は飛躍的に上がり、フェミニズムやLGBTQ+などのマイノリティの権利といった問題へ世間が関心を持つ機運が高まった。

自由を歌う　1800年代

アフリカ人奴隷たちは大農園で労働を行いながら、苦境に立ち向かうための歌をひそかに歌っていた。彼らは歌うことで希望をつなぎ、蜂起のときと逃亡のルートを歌詞に乗せて、暗に伝え合っていたのだ。有名な1曲、『スウィングロー・スウィートチャリオット』も、「舞い降りる天使よ、私を故郷まで連れていっておくれ」というフレーズで、奴隷の逃亡を支援する秘密組織「地下鉄道」のことを示唆しているという（p.49を参照）。

ジャズはヘイトじゃない　2020

デンマークの極右政治家、ラスムス・パルダンがヘイトスピーチをするようになり、それに憤ったジャズミュージシャンたちが抗議活動を始めた。パルダン氏が登壇するところに楽器を持って出向いては、しきりにうるさい音を出してスピーチをかき消すのだ。デンマークで「おそらく最大のバンド」だと自負する彼らは、いかにひどい音楽を奏でるかが腕の見せどころ。楽器を弾ける人もまったく弾けない人も、誰でも飛び入り参加大歓迎。ただし、パルダン氏その人の参加だけはお断りだそうだ。

沈黙のパレード　1917年

公民権運動の始まりとされるとある抗議活動は、沈黙の行進というかたちをとった。かけ声も歌もなし。ただドラムだけがもの憂げに小さく鳴るなかを、1万人ものアフリカ系アメリカ人が、老若男女連れ立って、ニューヨークの通りを沈黙のままに歩く。その重たい静けさが、人種差別による虐殺事件への深い悲しみを物語った。

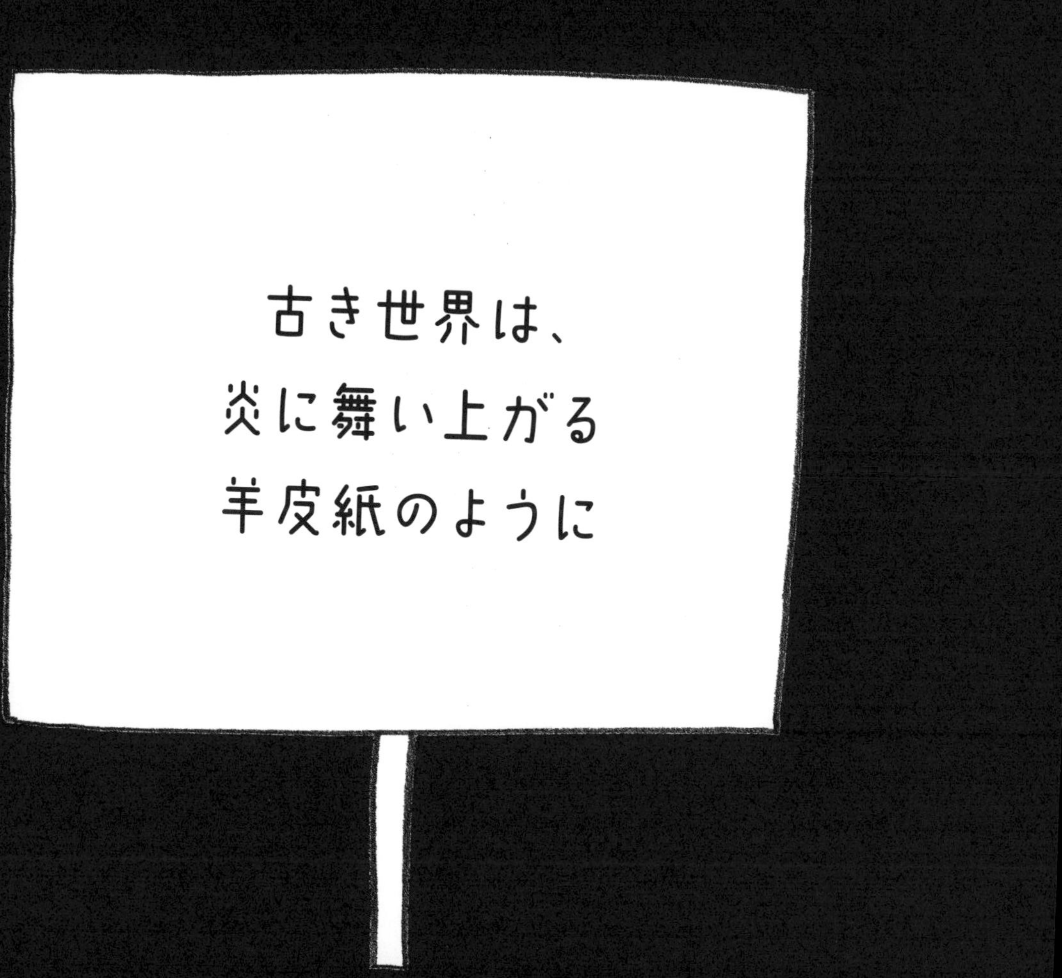

古き世界は、
炎に舞い上がる
羊皮紙のように

村は誰のものなのか？

カラブラ朝[注]における反乱　インド　250〜690年

中世の南インドでは、地方を治める王たちが、戦いで多くの功績をあげた戦士をねぎらうために、あれこれ褒美を与えていた。そのなかでも最上級だったのが、村をまるごと与える、というもの。ところが前例ができると歯止めがきかなくなっていき、やがて識者や聖職者までもが、村を与えられるようになってしまった。

村をもらった者たちは非常に喜んだが、実際にその村に住んでいる人々にしてみれば、たまったものではない。それまで普通に暮らしていたところに、あとからやって来た領主から「村に住みたければ金を払え」と言われる。牧草地も、海も、森も、果樹園も、かつてはみんなのものだった。それが、何かにつけてお金をとられるようになってしまったのだ。

村人の受け入れがたそうな様子を見て、領主になった者は、自分が識者や聖職者といった地位にあることをうまく利用し、都合のいい話を説いて回った。いわく、「この新しい決まりに従わない者は、神から罰を受けることになる」と……。

[注] 3〜6世紀の間に、南インドのタミル地域を支配したとされる王朝。

村人たちもそう長くはだまされず、みんなで領主を裁判所へ引っ立てていった。さて、この状況がどれほど不公平か、裁判官は晴れて認めてくれるだろうか――。しかし残念なことに、領主は要職に就いている者たちと裏で繋がっていた。裁判官は領主にとって都合が良いように法をねじ曲げ、村の暮らしはいっそう苦しくなってしまった。

こうなるともういよいよ黙ってはいられない。村人たちは、カラブラ朝の王が村を訪れると聞けば、歓迎するふりを装って通りで待ち構えた。そして、王がその姿を見せると、一斉に抗議の声をあげるのだった。

村人たちは首尾よく土地を取り戻していった。だが今度は、かつてみんなで追い出した領主に負けず劣らず、彼ら自身が横暴にふるまうようになってしまった。民衆が力を得たからそれでめでたし、というわけではない。みんなが平等に暮らす世界を創れるかどうかは、また別の話なのだ。

［ルップフェン領主の妻］

カタツムリの戦い

ドイツ農民戦争　ドイツ　1524年

16世紀のドイツにおける封建領主とその妻たちは、自らを世界でもっとも尊ばれるべき存在だと思っていた。あるとき、ドイツ南西部のルップフェン領を治めていた領主の夫人が「刺繡糸を巻き付ける糸巻きがなくなった」と騒ぎ立てた。そして、領内に暮らす農民に、農作業をやめて糸巻き用のカタツムリの殻を集めてくるように、と言いつけた。

それまでずっと耐え忍んできた農民たちも、領主のあまりの横暴さについに堪忍袋の緒が切れた。農民の暮らしは決して楽じゃない。自由はほとんどなく、領主のために堆肥を運ぶような、嫌な仕事ばかりさせられる。かつては村の共用地で狩りをしたり、漁をしたり、木材を採ったりしていたのに、いまではそれも許されない。そこで彼らは領主夫人の言うことを聞かず、みんなで近くの町へと向かい、同じように苦しむほかの仲間と合流した。そして、自由への旗印として、靴を棒の先端に括りつけたものをそれぞれ掲げた。

農民たちは互いに助け合い、蜂起の誓いをひそかに広めていった。少し離れた町では、ちょうど活版印刷の技術が発明されていたので、メッセージを伝えるのに役立った。彼らは「プロパガンダ（宣伝）」という手法を編み出し、農民も文字が読めること、そして自分たちの頭できちんと考えられることを示したのだ。

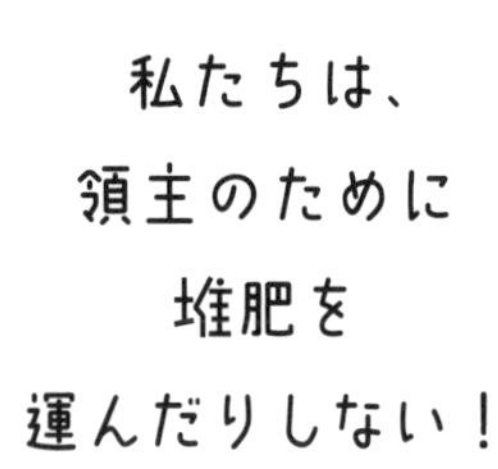

私たちは、
犬を飼うのに
いちいち
領主の許可など
取らない！［注］

私たちは、
家族のために
狩りや漁をする
権利を要求する！

［注］中世ドイツでは、農民が犬を飼うには領主への申請が必要だった。ちなみに、現在のドイツには市区町村税の一種として「犬税」がある。

農民たちの抗議に、ルップフェン領主は頭を悩ませるようになった。

それでは、
いったい誰が
私の畑に堆肥を
持ってくるのか？
お茶の時間につまむ苺はどうなるんだ？
まったく、農民たちは身勝手にもほどがある。
この抗議を止めないと！

ルップフェン領主は、農民の勢いがこれ以上増す前に、なんとかしなくてはと考えた。そこで、彼らの望みを聞き入れて、領の決まりをいくつか変える提案をしたが、そこに奇妙な条件をつけていった。つまり、領政のあり方を本質的に変えようとしたのではなく、農民をひとまずなだめている間に、抗議を鎮圧するために軍を集めようとしたのだ。もちろん、農民たちの不満はそれでは収まらない。たくさんの人が戦いで命を落としたが、それでも彼らは抵抗をやめなかった。

ドイツ農民戦争は各地に広がり、領主の住まう城の多くが破壊されたものの、封建制はその後も数世紀にわたって残り続けた。だが、農民たちが流した血は、決して無駄にはならなかった。彼らの精神は、その後の抵抗運動や革命のなかに脈々と受け継がれ、やがて数世紀を経て、ヨーロッパの世界を根底から変えていったのだから。

強大な絶対王政を打ち壊せ！

レヴェラーズ（平等派）とディガーズ（真正水平派）　イングランド　1640年代

今夜のパーティー用に ウズラを準備しておくよう、 料理長に言いつけよう。

さて…… 私の新しい肖像画は もう完成している だろうか？

王の首を 落としてしまおう！

誰が政治をするかは、 俺たちの意思で 決めるんだ！

生かしておいても いいが、議会政治を 認めさせるべきだ

国のことは 国民が決めないと。 私たちも 馬鹿じゃないんだ

王の命令は 聞かないことに しよう

そうだ、 我々が参加している 議会によって……

王様のひげは ふさふさだなぁ

王は悪魔の手で 創られたのだ

わはははは

ふざけている 場合じゃないぞ

1640年代のイングランドは激動の時代だった。作物の不作と内乱によって国が疲弊し、最悪の状況におちいったことで、国民がこれまでの統治体制や価値観をあらためて問い直し、新しい国のかたちを創ろうという機運が高まったのだ。「古き世界は、炎に舞い上がる羊皮紙のように消えていく」※というのが、人々の合言葉だった。

時の王、チャールズ1世は、王の権力は神から直接授かったものだ、という信条（王権神授説）を掲げていたが、国民はしだいに「それは単に王にとって都合がいい言説なのではないか」と疑うようになった。そして、1640年代に入るころには、王はあらゆる層からの抵抗にさらされていく。

革命を先導したのは将校やジェントリ[注]で、彼らは議会による統治を求めた。だが、彼ら自身の権威ものちに、さらに下の身分層の者たちから異をとなえられることになる。なかでもとくに急進的な思想を掲げていたのが、「レヴェラーズ（平等派）」「ディガーズ（真正水平派）」と呼ばれる2つの勢力だった。

レヴェラーズは、すべての人が平等に扱われることを望んだ。権力は人民のなかにこそあるもので、みんなが投票権を持ち、自分の土地を持ち、自ら信じたい宗教を選ぶべきだと考えたのだ。彼らは公約を掲げ、新聞を発行し、その思想を語った。帽子にはローズマリーの枝葉と青緑色のリボンを目印につけ、ロンドンのあちこちのパブを「オフィス」と呼び、仲間どうしで集まっていた。

レヴェラーズは組織としてよく統率がとれており、理想の社会のあり方について熱い議論を交わしていた。だが、そのビジョンを実際に行動へと移したのは、ディガーズの人々だった。

※ディガーズを率いたジェラルド・ウィンスタンリーの言葉
[注] イギリスの下級地主層の総称。郷紳ともいう。階級は平民

ある日曜日のこと。みんなが教会へ行っている間に、ディガーズの一団が、
荒れ果てた土地に足を踏み入れ、せっせと地面を耕し始めた。

誰かに力を与えられるのを待つのではなく、自分たちの力で立てばいい。
そう考えた彼らは、手ずから穀物や野菜を植えていった。

ディガーズの人々は、大地を「すべての人のための貯蔵庫」であると考え、
みんなで土地を開墾することで、彼らが本当に見たい世界を創ろうとしたのだ。

その地域の領主たちは、ディガーズが集まってきている様子を見て、
自身に対する脅威だと感じ、彼らを襲撃した。

ディガーズはしばらく持ちこたえたものの、やがて翌年には土地を追われることになってしまう。

彼らはかの地に根を下ろすことはできなかったが、
その思想は生き続けた。

レヴェラーズが起草した「人民協約」は、その後1世紀以上を経て、
アメリカ独立宣言の思想の基盤になっていく。

そして何より、「みなが平等で公平に扱われる共同体」という暮らしを
彼らが追求したという事実——。これは決して小さなことではない。

たったの１年しかかなわなかったとしても、彼らは確かに、理想の世界を創りあげたのだ。

抗議の方法

植物を育てる

マーティン・ルーサー・キング・ジュニア（キング牧師）はかつてこう言ったとされる――「たとえ明日世界が終わるとしても、私はりんごの木を植えるだろう」。ガーデニングや植林といった行動は希望の象徴であり、まさにいまこの瞬間に変化をもたらす方法でもある。

グリーンゲリラ　1970-90年代

「グリーンゲリラ」は、とくに使われていないニューヨークの街の片隅を、コミュニティガーデンに変える活動だ。しかし、そうした地区の景観が良くなっていくのを見た市長は、その区画を売って金をとろうと考えた。活動に携わっていた人々は、抗議の印に交通をストップさせ、道路に植物を持ち込んで、子どもたちに種を配ってまわった。そしてその日の数時間、ニューヨークの通りは緑で埋め尽くされた。グリーンゲリラは街全体を味方につけ、無事にガーデン区画を守ったのだった。

黄金の麦畑　1982年

ニューヨークの世界貿易センタービルが完成したころ、ビルの隣の貴重な区画が空いたままなのを見て、アーティストのアグネス・ディーンズはひらめいた。「次のアート作品は絵ではなくて、本物の麦畑にしよう」。ニューヨークの金融街の真横に、黄金色の麦穂が並んでいたら、資本主義がもたらす不平等や飢えを、効果的に描き出せるのではないかと考えたのだ。プロジェクトの参加者全員で地面を耕し、やがて麦畑は見事な収穫期を迎えた。その後、麦の種は、世界中で不条理と戦う人々のもとへ届けられたという。

ピープルズ・パークに力を　1972年

カリフォルニア大学バークレー校のキャンパス内に、荒れ放題の一角があった。学生たちはそこに公園を作ってほしいと要望していたが、一向に聞き入れられないので、自分たちでガーデニングをしつつ、政治や、当時論争の的だったベトナム戦争について語り合った。この動きを疎んじたのが当時の州知事レーガンで、彼は軍を向かわせ公園を封鎖しようとした。初めは、学生も暴力で抵抗した。だが次に軍がやって来たとき、彼らは「花の力」を使う作戦に出た。3万人もの抗議者が軍を出迎えて、デイジーの花を手渡していったのだ。その花言葉は、「平和」「希望」。結局、誰も血を流すことなく、軍は平和裏に退いていった。公園は、いまでもその場所に残っている。

ゲリラ・ガーデニング　2000年代

ロンドン在住のリチャード・レイノルズは、イギリスで広がる「ゲリラ・ガーデニング」という活動を始めた人物だ。最初は、マンションの外に置きっぱなしのプランターに、こっそり種を植えたのがきっかけだという。次は、近くのロータリーを緑で埋め尽くし、しだいにほかの人たちも加わるようになっていった。彼らは園芸用スコップを手に、助けを必要としている場所へと向かう。その例が、ヒースロー空港の滑走路拡張に向けて住民が立ち退きを迫られている、シップソンの村だ。住民たちが村を守るために腰を据えて戦えるよう、彼らは空き地をきちんと手入れする。この抗議活動は何年間も続いており、工事計画を何とか食い止めている。

バナナ農園の占拠　1995年

ホンジュラスのタカミチェ村の人々は、バナナ農園で働いており、賃金アップを求めてストライキを行ったが、それを嫌がったバナナ生産会社は農園を売り払うことにした。このままでは、農園で働いていた人々は住む場所も、食べ物を育てる場所も失ってしまう。そこで彼らは、打ち棄てられた農園を占拠し、植物の種を植え始めた。バナナ生産会社はブルドーザーを差し向けたが、人々が頑として動こうとしなかったため、ついには政府とともに村を再興し、人々に農作業や漁ができる土地を譲り渡したのだった。

グリーンベルト運動　1970年代

ケニア出身のワンガリ・マータイは、祖国で起きている森林伐採を憂慮して「グリーンベルト運動」を始めた。何百人もの農家の女性を支援し、みんなで木を植えることで砂漠化を防ごう、というものだ。彼女の植林運動は女性たちに勇気を与え、環境を保護し、政府の腐敗を許さず戦う活動の波が広がっていった。これまでに植えられた木は3千万本を超え、アフリカの地を開発による被害から救っている。そしてこの運動によって、「木」そのものが民主主義のシンボルとして扱われるようになったのだ。

絨毯のように丸め込む

入植者たちを追い詰めた抵抗運動

不服従のダンス

アメリカ先住民のゴースト・ダンス　アメリカ　1890年代

　1400年代に、ヨーロッパからの入植者を乗せた船がアメリカ大陸に初めて上陸して以来、移民たちは土地をどんどん侵食していった。彼らはアメリカを「新世界」と呼んだが、実際はそうではない。この地には、何千年も前から生活を営む人々がいたのだ。ところが入植者らは「自分たちは誰も住んだことのない楽園を見つけたのだ」という幻想を握りしめ、じりじりと西へ向かいながら、先住民の土地と暮らしを破壊していった。1800年代になると、移民たちは、残っている部族を一掃し、土地と人々の結びつきを断ち切ることを信条とするようになっていた。

入植者たちは、容赦なく土地を開拓し入植していきながら、残酷な行為を繰り返した。たとえば、意図的に伝染病を流行させて先住民の村全体を皆殺しにしたり、アメリカバイソンを絶滅の危機に追いやったり、先住民の子どもたちを寄宿学校に入れて、両親には通じない外国語を学ばせたり……。先住民の首長たちは、住み慣れた土地に暮らす権利を放棄する条約を無理やり締結させられた。そして彼らは保留地へと追いやられ、それまでと同じ生活を送ることを禁じられてしまったのだ。

先住民は、どんなときも心折れずに立ち向かった。ときには退避を余儀なくされたり、自衛のために武器をふるったりすることもあったが、暴力に頼らずに抵抗を示す方法も多く編み出していった。とりわけ強力だったのが「ゴースト・ダンス」だ。パイユート族のウォヴォカという男性が、「入植者たちがいなくなり、先住民の暮らしがまた息を吹き返す」という神の啓示を受けたことが始まりとされる儀式である。人々はこのダンスを踊ることで、そんな理想の世界に思いを馳せた。

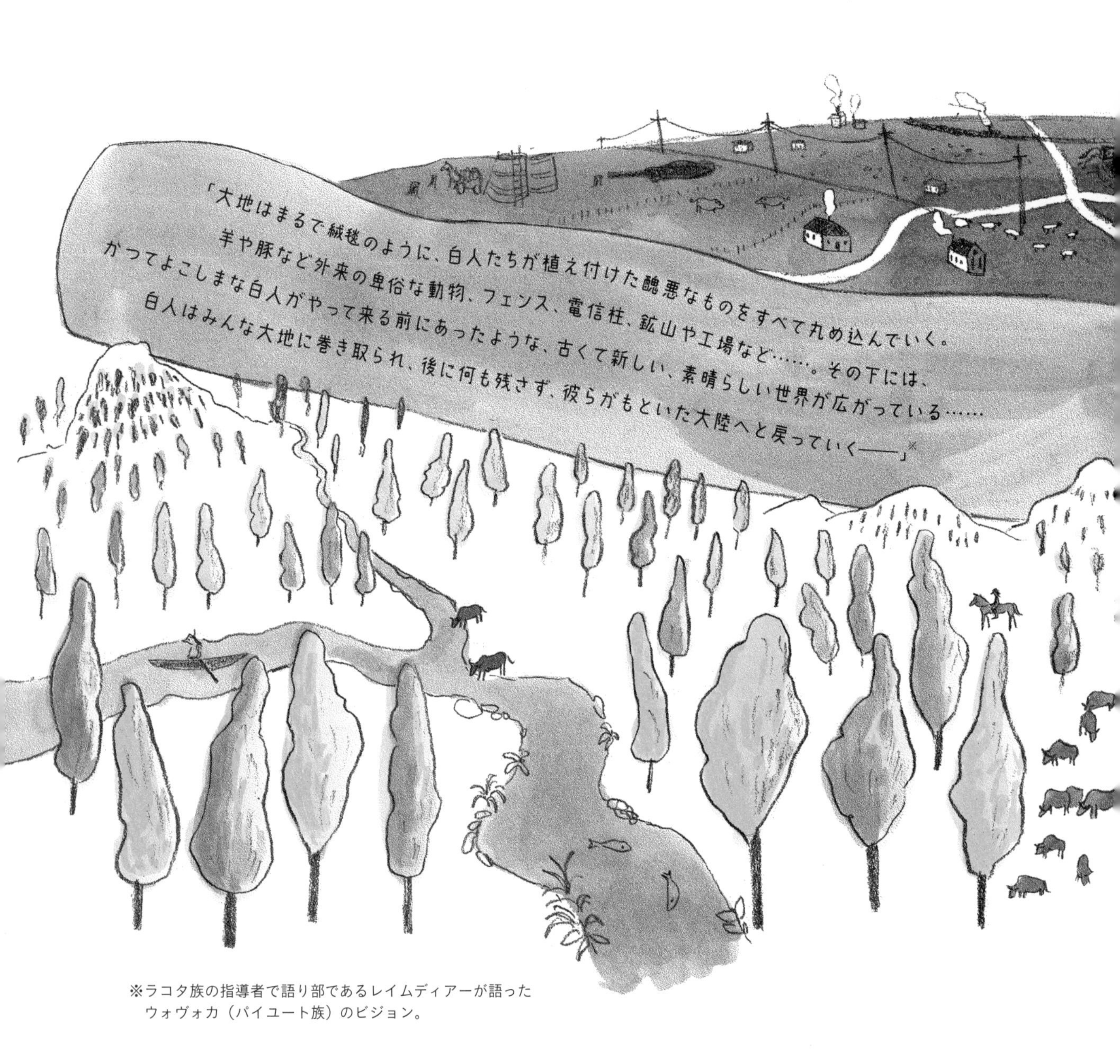

※ラコタ族の指導者で語り部であるレイムディアーが語った
ウォヴォカ（パイユート族）のビジョン。

ゴースト・ダンスは、単に不服従の意を示す以上の意味を持つようになっていった。人々はこのダンスを踊ることで、まるで入植者など存在しないかのように、ありのままに生きるのだという思いを強めていった。いつしかゴースト・ダンスは抵抗運動としての色が濃くなり、先住民の人々は、白人の入植者たちが暮らす町から離れたところに野営を張るようになった。ゴースト・ダンスを踊る人々は、新しく植えつけられた文化にはいっさい迎合しないという姿勢で、英語を話すことも、教会や学校へ行くことも、ことごとく拒否した。髪も伸ばし、その土地に根差した服装をするようになった。そして何より、彼らは踊るのをやめなかった。この徹底的な拒絶の構えを目の当たりにした移民たちは、しだいに危機感をつのらせていった。

武力行使という入植者のやり方に服従しない先住民の様子は、かえって不気味に思えた。やがて入植者たちは軍を送り込み、サウス・ダコタ州の南西部ウンデッド・ニーにいた踊り手たちを包囲した。非道な虐殺行為により、300人を超えるゴースト・ダンサーたちが犠牲になった事実は、彼らの子孫の胸にいまも深く刻まれている。

アメリカ先住民の人々から奪われたものの多くは、もう戻ってこない。だが、ゴースト・ダンスが無駄だったかというと、決してそんなことはない。人々は踊りながら、彼らが望む世界を心のなかに描き続けた。幾度となく脅かされても、そのビジョンは消えなかった。ゴースト・ダンスを踊った人々は、白人移民に強いられるままに本来の生き方を曲げることはせず、「想像力」という力を使って、自分たちの文化を紡ぎ続けたのだ。

農耕によって抵抗した人々

マオリ族による抵抗活動　ニュージーランド　1869〜90年代

ヨーロッパ人探検家たちがニュージーランドに上陸する何百年も前から、マオリ族の人々は、この美しい島で幸せに暮らしていた。ヨーロッパ移民は、それまで島にはなかった病気や武器を持ち込み、アメリカに上陸した移民らと同じように、この土地は自分たちのものだと考えた。そして移民の数が増えるにつれて、マオリ族の人々はどんどん追い詰められていったのである。

はじめは、マオリ族も土地を取り戻そうと抵抗した。だが、そもそも人数からして敵わない。大勢の仲間が殺され、島は入植者たちに完全に制圧されようとしていた。この最悪の状況を前に、テ・フィティというマオリ族の男性が、別のやり方で抵抗活動ができないかと考えた。

テ・フィティは、「パリハカ」というコミュニティのリーダーの1人だった。そこは、マオリ族の人々が伝統的な暮らしを安全に営めるようにと、テ・フィティが自ら作った場所。そんなパリハカ村の人々は、今後いっさい白人農家が育てた作物には頼らない、と決意した。ほかの地域の人々も賛同し、農具を手に続々と集まって来て、パリハカ村で自給自足の生活を始めていく。テ・フィティは「武器を持たないと約束できるなら、いつまでもここで暮らしていい」と言って、彼らを受け入れた。

ある日、テ・フィティは入植者たちに対して、高らかにこう宣言した。

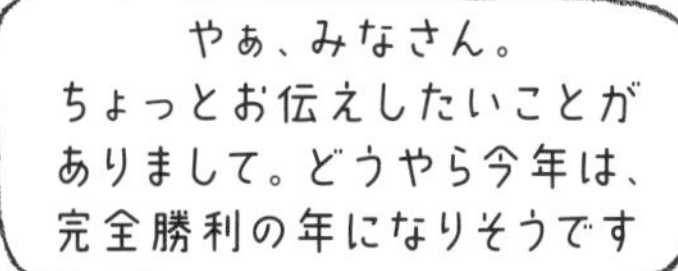

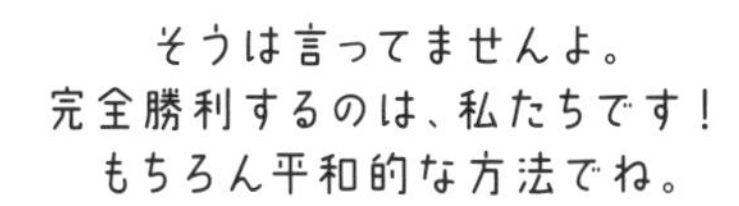

移民たちは、マオリ族の人々が武器を使わずに自分たちを退けられるなどとは思いもせず、すっかり安心して喜んだ。勢いづいた彼らは、さらにマオリ族が暮らす地域に足を踏み入れ、開墾を進めるために測量士を送っては、農地に最適な場所を調査していく。マオリ族の人々がせっかく育てた作物をこともなげに踏み荒らし、「ここだ」という場所にはどんどん目星をつけていった。

やがて、入植者に奪われていない土地は、ほぼパリハカを残すのみ、というほどまでになってしまった。測量士の足音もじりじりと迫ってきたので、パリハカ村の人々は集まって対策を練った。かつてのやり方のままであれば、きっと相手を武力で蹴散らそうとしただろう。だが、非暴力による抵抗を新たな信条とする彼らは、今度はもっとしたたかな方法で戦った。測量士たちの隙をついて、測量器具もテントも何もかもを片づけて、そっくりそのまま持ち去ったのだ。

さらには、ある朝、近隣で農家を営む白人がいつもどおり起きると、とんでもないことになっていた。

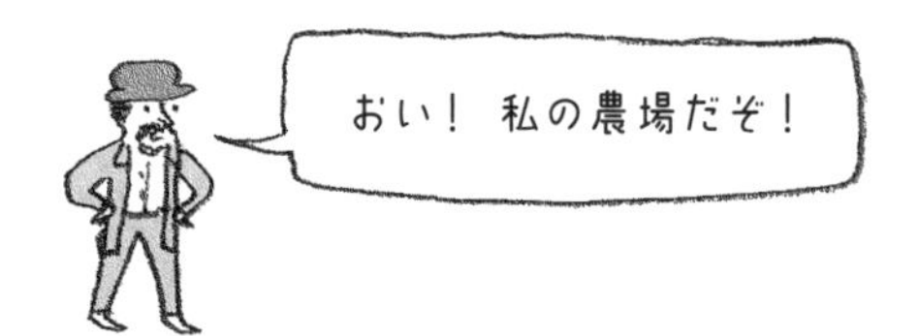

なんと、パリハカ村の人々が農耕器具を持ち寄って、かつて入植者によって奪われたその土地を、黙々と耕している。

人々はただにっこり微笑んで、とくに気に留めた様子もなく、どんどん作業を進めていく。

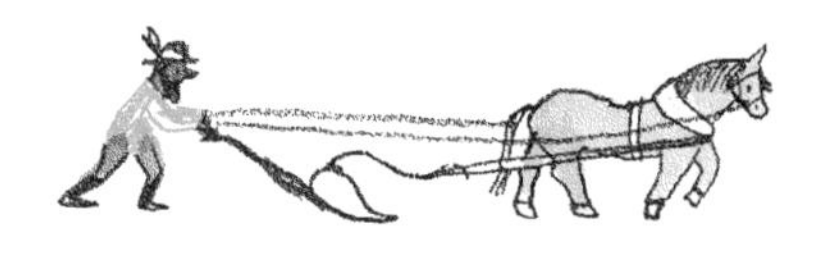

入植者たちは、農耕作業を続けるパリハカ村の人々を逮捕してまわったが、誰か1人を追い出すたびにまた次の人がその土地にやってくる、という始末で、まったくらちがあかない。

白人政府もこの事態には仰天した。彼らは軍を送り込んだが、ただ平和に農地を耕すだけのパリハカ村の人々に対応するために、百万ポンド近くを費やすはめになった。

パリハカ村の人々がやったのは、徹底して非暴力を貫く行動のみ。だが、武力で対抗してくるわけでもない相手を前に、軍の兵士たちはどうしていいかわからず、すっかり混乱してしまった。

マオリ族の人々は、土地をすべて取り戻すことはできなかったが、民族として無事に生き延びた。それが実現できたのは、彼らがこのように創造的な抵抗方法を編み出したからこそだと言われている。

北極星を追って

奴隷制との戦い　アフリカ・アメリカ・ヨーロッパ　1400年代〜1800年代

ヨーロッパからアフリカへやって来た入植者たちは、ただ土地を奪うだけでは済まなかった。そこに暮らしていた人々すらモノ同然に見なし、商品として売買したり奪い合ったりしたのである。ヨーロッパの貿易会社などは、西アフリカで砂糖のプランテーションを始めた際、その土地の人々に農園を手入れしてもらう対価を払うどころか、強制的に無償で働かせた。

やがて、ヨーロッパ人たちは、アフリカの人々を無理やり船に乗せ、アメリカ大陸へと向かわせるようになる。何百万人もの人々が奴隷にされ、劣悪な環境に押し込められて、長い船旅を強いられた。その過程で、多くの人が亡くなった。なんとか命を落とさずに済んだ者も、たいていは家族や友人と引き離され、砂糖やコーヒー、タバコ、綿花にカカオなどを栽培する農園で厳しい労働を強いられた。

もちろん、アフリカの人々も、当初から抵抗はしていた。奴隷船がまだ港に停泊している間に、隙を見て逃げ出せた人もいた。アフリカ人戦士たちは森に身を潜め、連れ去られた仲間を救おうといかだで海に出て、ヨーロッパ人の奴隷商がまだ陸で取引をしているうちに、船を燃やすこともあった。

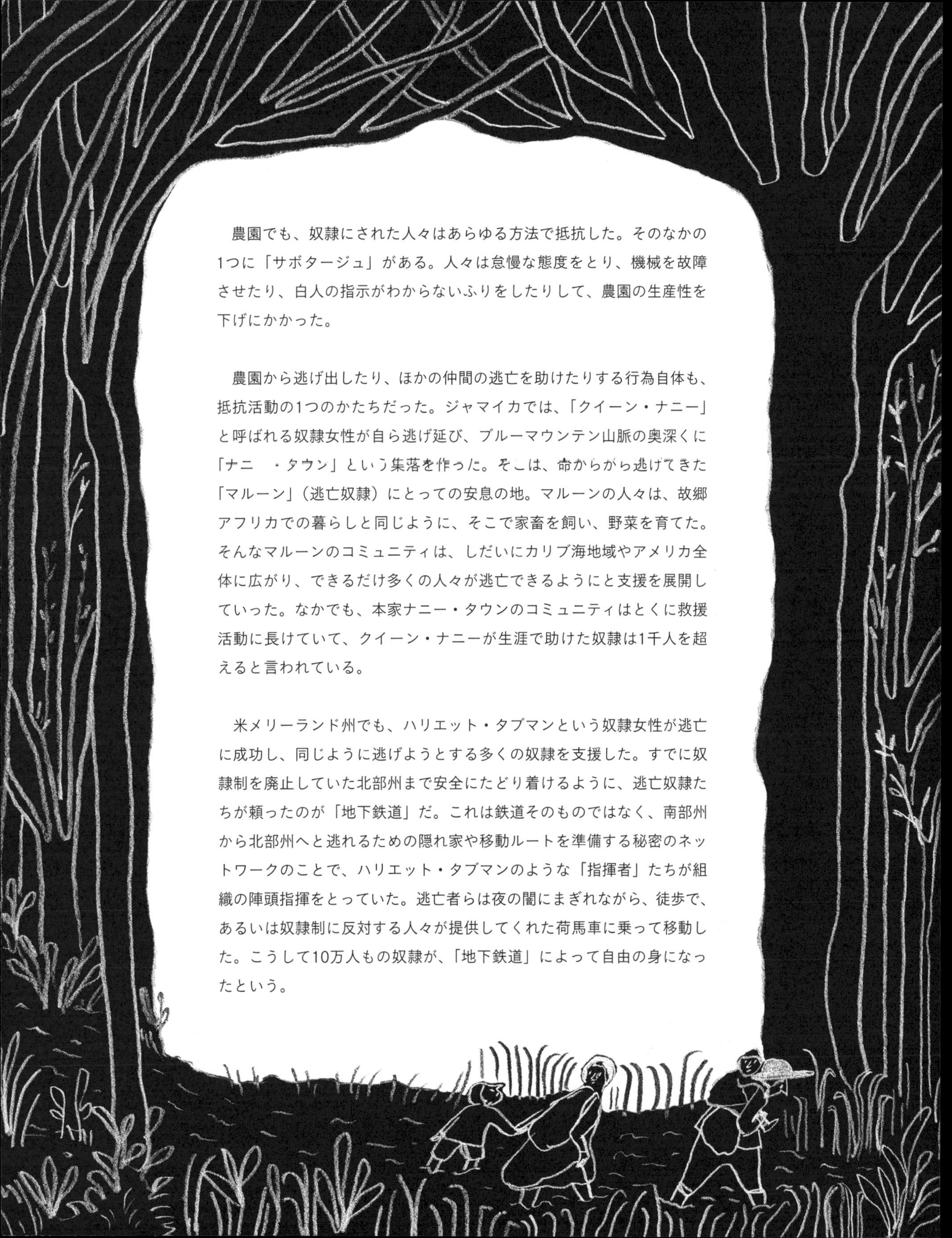

農園でも、奴隷にされた人々はあらゆる方法で抵抗した。そのなかの1つに「サボタージュ」がある。人々は怠慢な態度をとり、機械を故障させたり、白人の指示がわからないふりをしたりして、農園の生産性を下げにかかった。

農園から逃げ出したり、ほかの仲間の逃亡を助けたりする行為自体も、抵抗活動の1つのかたちだった。ジャマイカでは、「クイーン・ナニー」と呼ばれる奴隷女性が自ら逃げ延び、ブルーマウンテン山脈の奥深くに「ナニー・タウン」という集落を作った。そこは、命からがら逃げてきた「マルーン」（逃亡奴隷）にとっての安息の地。マルーンの人々は、故郷アフリカでの暮らしと同じように、そこで家畜を飼い、野菜を育てた。そんなマルーンのコミュニティは、しだいにカリブ海地域やアメリカ全体に広がり、できるだけ多くの人々が逃亡できるようにと支援を展開していった。なかでも、本家ナニー・タウンのコミュニティはとくに救援活動に長けていて、クイーン・ナニーが生涯で助けた奴隷は1千人を超えると言われている。

米メリーランド州でも、ハリエット・タブマンという奴隷女性が逃亡に成功し、同じように逃げようとする多くの奴隷を支援した。すでに奴隷制を廃止していた北部州まで安全にたどり着けるように、逃亡奴隷たちが頼ったのが「地下鉄道」だ。これは鉄道そのものではなく、南部州から北部州へと逃れるための隠れ家や移動ルートを準備する秘密のネットワークのことで、ハリエット・タブマンのような「指揮者」たちが組織の陣頭指揮をとっていた。逃亡者らは夜の闇にまぎれながら、徒歩で、あるいは奴隷制に反対する人々が提供してくれた荷馬車に乗って移動した。こうして10万人もの奴隷が、「地下鉄道」によって自由の身になったという。

一方、イギリス本土では、人々が家のなかで快適に暮らしながら、ホットチョコレートやタバコを楽しみ、あたたかな綿のパジャマに身を包んでいた。そうした製品がいったいどれほどの犠牲のうえに作られているのか、真実を知ろうともせずに……。だが、奴隷制がいかに非人道的なものかを訴えて、世間の目を覚まさせようと奮闘した人々もいた。オラウダ・イクイアーノやオットバー・クゴアノ、メアリー・プリンスといった作家たちは、かつて奴隷として苦しんだ自らの体験談を各地で説いて回った。そして、それを聞いた人々は、自分たちが日頃使っているものが、誰の手で、どのように作られているのか、ようやくきちんと考えるようになったのだ。

こうした物語が人から人へと伝わっていくにつれて、憤りの空気があっという間に広がっていった。抗議活動に賛同する人たちは、奴隷制反対のシンボルであるブローチを身につけ、プランテーションで栽培された砂糖を使うのをやめた。

まもなく、あらゆる人々が奴隷制廃止を訴える活動に参加するようになった。ランカシャー州の工場で働く人々は、奴隷制で栽培された綿花を使う紡績を拒否した。ロンドンでは、聖職者や議員がスピーチをし、弁護士らが裁判を起こした。アフリカ系奴隷家族に生まれたメアリー・プリンスは女性として初めて、議会の演壇で奴隷制反対を訴えた。奴隷制はもはや、誰もが無視できない問題になっていた。そしてついに1807年、数世紀にわたる過ちを経て、イギリス政府は大西洋奴隷貿易をやめることを決定。1833年には、イギリス帝国の全植民地において奴隷制を廃止する法律が成立した。

フレデリック・ダグラス

アメリカでも、さまざまな活動家たちが奴隷制を終わらせるために尽力した。フレデリック・ダグラスやソジャーナ・トゥルース、ヘンリー・"ボックス"・ブラウンなど、自らも奴隷の身から自由になった※経験を持つ人々は、力のこもった言葉で奴隷制廃止を訴え、賛同者を集めていった。

そして、1865年。アメリカ合衆国憲法が改正され、ようやく奴隷制が廃止された。奴隷制廃止論者たちは勝利を収めたが、これでめでたく決着というわけにはいかなかった。なぜなら、アフリカ系アメリカ人の人々が本当の意味で自由になるためには、彼らが基本的人権を勝ち取る必要があるからだ。

活動家たちはその後も運動を続けた。まずは、黒人にも投票権を。そして、黒人が白人と平等に扱われる権利——つまり人種差別の撤廃を求める戦いは、公民権運動へと発展し、のちに白人警官による黒人差別への今日の抗議活動「ブラック・ライブズ・マター」（BLM）へとつながっている。

※ヘンリー・"ボックス"・ブラウンは、フィラデルフィア州の奴隷制廃止活動家に宛てた木箱（ボックス）のなかにこっそり身を潜め、荷物として配送されるという方法で見事に自由の身になった。

言葉

書くことは、それ自体が立派な抗議活動になる。もちろん、それを読むことも！

フェミニズム運動に影響を与えた本 1792年

作家のメアリ・ウルストンクラフトは、「フェミニズム」という言葉こそ使わなかったものの、女性の地位向上の必要性を初めて著書で訴えた人物だ。フランス革命における「人権宣言」に大きな刺激を受けた彼女は、主著『女性の権利の擁護』にて、女性も男性と同じ教育を受け、同じ権利を享受し、等しく尊重されるべきだと、力強い言葉で綴った。残念ながら、ウルストンクラフト自身は同書の出版からほどなくこの世を去ったが、彼女の主張は時代を超えて生き続けた。その思想はやがて女性の参政権を求める運動へと受け継がれ、そして今日のフェミニズム運動にも、影響を与え続けている。

読書による抵抗活動　2014年

2014年、タイでクーデターが起き軍事政権が樹立されて以来、まるでジョージ・オーウェル作のディストピア小説『1984年』（早川書店、新訳版2009年）の世界のように、人々は軍による監視と検閲におびえていた。軍政は最高機関として「国家平和秩序評議会（NCPO）」を掲げており、その姿はまさに、「平和省」なる組織が戦争を司っている、という小説の設定そのものだった。軍政下では、5人以上で集まることが禁止されていたので、軍事政権に反対する人々は、小説『1984年』自体を抵抗のシンボルとした。電車のなかで、街のベンチで、彼らは黙ってこの本を読んだ。そうすることで、「軍政が自分たちを監視するなら、自分たちも軍政を見張っているぞ」というメッセージを発したのだ。

奴隷制廃止を訴えた作家たち 1700年代～1800年代

メアリー・プリンス、オラウダ・イクイアーノ、フレデリック・ダグラスといった黒人作家たちは、自身が奴隷だったころと、自由の身になってからの経験を克明に綴り、プランテーションの実態を痛切に訴えた。奴隷にされるとはどういうことかを生々しい実体験として記した文章は、イギリス人やアメリカ人の心を揺さぶり、その認識を改めさせ、奴隷制廃止運動に参加するきっかけを与えたのだった。

図書館利用者(Borrowers)による抗議活動　2011年

イギリスでは、政府が図書館用の予算を大幅に削減。ストーニー・ストラットフォードという小さな町の図書館も、閉館することになった。ところが、ある土曜日のこと。図書館利用者たちは、いつものように1、2冊だけを家に持ち帰るのではなく、それぞれが上限いっぱいの15冊まで本を借りていった。同館の蔵書を空っぽにすることで、彼らがどれほど図書館を愛し、利用の継続を望んでいるかを示そうとしたのだ。閉館時間まぎわに借りられた最後の1冊は、メアリー・ノートン作の児童書『床下の小人たち』(岩波書店、新版2000年、原題：『Borrowers』)だった。この抗議活動は実を結び、この図書館は無事に存続することになった。

レズビアン・アベンジャーズのガイドブック　1992年

「レズビアン・アベンジャーズ」は、レズビアンが抱えるさまざまな問題を正面から取り上げて議論することを目的として、ニューヨークに設立された。同グループが発行した『Handy Guide to Homemade Revolution(自分の手で革命を起こすための手引書)』では、団体の立ち上げから集会運営、抗議活動の展開といった手法が紹介されている。このガイドブックをもとに、50を超えるグループ支部が設立され、アメリカ全土を席捲した。

沈黙の春　1962年

生物学者のレイチェル・カーソンは、DDTという化学物質を含む農薬が散布された地域で野鳥が死んでいるという報告を受け、このままでは地球環境への悪影響は取り返しがつかないことになると考えた。彼女は世に警鐘を鳴らすため、『沈黙の春』(新潮社、改版1974年)を上梓。美しい筆致で、農薬が環境に与える深刻な影響について鋭く指摘した。反響はきわめて大きく、アメリカではDDTの農薬使用が禁止されることになり、化学物質による生態系破壊をめぐる環境保護活動の気運が高まっていった。

汝の真実を語れ　1960年代〜1970年代

作家のジェイムズ・ボールドウィンやオードリー・ロード、マヤ・アンジェロウたちは、文学を通して人種や階級、ジェンダーやセクシュアリティといった問題を取り上げるブラック・アーツ・ムーブメント(BAM)の代表格だ。彼らは精力的に執筆するだけでなく、現場の活動にも奔走した。抗議集会を開き、資金を集め、作品の朗読会に招かれるたびに政治についても語る。彼らは新しい表現を生み出し、対話の場を開くことで、社会の議論を前進させていった。オードリー・ロードはこう語っている——「真実を語るよりも恐ろしいことは1つしかない。それは、真実に対して口を閉ざすことよ」

汝らは多数、
彼らは少数

階級闘争

王をつかまえろ！

フランス革命　フランス　1789〜99年

1789年、フランスの人々の不満は爆発寸前だった。

相次ぐ戦争で国は疲弊し、何百年にも感じられるほど長い間、鬱々とした閉塞感が漂っていた。予算はすべて、王が調達してくる軍艦や、王妃の新しいドレスに費やされる。その一方で、市民の暮らしは厳しく、パンを1つ買うためにも、とことん生活費を切り詰めなくてはならない有り様だった。

人々は腹を空かせ、怒りを抱えていた。そこで、みんなでパリ市街の通りへなだれ込み、変化を求めて蜂起した。夜通しカフェで作戦を練り、自分たちの主張を訴えるパンフレットを配り歩く。彼らは独自に新聞まで発行し、そこには「王や貴族ではなく、人民を中心に新しいフランスを創ろう」というアイデアが躍っていた。

ルイ16世と王妃マリー・アントワネットは、「パリ郊外のベルサイユ宮殿に避難していれば、そのうちすべて丸く収まるだろう」と思っていた。そこにはさまざまな楽しみがあった——テニスコートにオペラ劇場。華やかな「鏡の間」では、貴族たちの高く盛りに盛ったヘアスタイルが何重にもずらりと反射する。庭には農村風の一画まであって、王妃はそこで友人らと、貧しい農民のふりをする遊びをしていたという。

持たざる立場に置かれたパリ市民は憤り、一斉にベルサイユへと押し掛けた。行進を先導したのは女性たちだ。なぜなら、スカートをまとった女性たち相手であれば、衛兵も手出しできないだろうと考えたからだ。実際、その予想は的中し、彼らは誰に足止めされることもなく宮殿にたどり着くと、驚く王と王妃を捕らえて（自慢のかつらもぐちゃぐちゃだった）、またパリへと連れ戻した。

王族たちをパリ市街まで連れ戻し、みんなで一斉に糾弾したという経験は、人々を大いに勇気づけた。革命論者は「自分たちだって声を上げることができるのだ」と自信を持ち、毎日のように通りへ繰り出してはあれこれと主張を交わし合う。彼らはしだいにその数を増し、教会や政府や牢獄といった権威の象徴と衝突するようになった。大勢で集まればそれ自体が力になる、と気付いた革命活動家たちは、しばしば劇場になだれ込んで芝居に割り込み、「街で現実に起きているドラマをみんなで演じようじゃないか」と聴衆に訴えた。

すっかり四面楚歌になってしまった王は、何度も亡命を図った。だが、そのたびに市民たちにうまく阻止されてしまう。あるとき、やはり逃亡に失敗した王がパリへと戻ると、人々は王家の馬車に背を向けて抗議の意を示した。街の子どもたちも先代のルイ15世の像によじのぼり、大胆にもその顔に目隠しをしてみせた。こんな侮辱行為は、少し前であれば考えられなかっただろう。そこには、「王よ、あなたのふるまいには先王もあきれているぞ」という非難のメッセージがありありと表われていた。

もはや市民たちには敵わないと観念した王は、3カ月後、正式に主権を譲り渡した。だが、王家への信頼を完全に失っていた人々の心は、それだけでは収まらなかった。結局その後まもなくして、ルイ16世とマリー・アントワネットは断頭台の露と消えたのだった。

フランス革命は暴力的なイメージでとらえられがちだが、実際にはほとんどの場面で平和的な手段が用いられていた。この革命をきっかけに、人々が王家から主権を取り戻す市民革命の波がさまざまな国へと広がり、人民による新しい統治のかたちが生まれていった。フランス革命期に登場した抗議手法の数々は、その後も世界中で活用され、社会に変化を起こしている。

良心のもとに戦え

ピータールー　イギリス　1819年

　ヨーロッパのあちこちで、人々は不平等に不満を募らせていた。富める者たちは優雅に狩りや宴会を楽しむ一方で、貧しい市民はその日の夕食にありつくのもやっと。ときには、パンを買うために、家財を売り払わなければならないことさえあった。当時、イングランドの北部では産業革命で工場が次々に建ち、人がこなしていた作業は新しい機械に取って代わられ、失業に追い込まれる人が後を絶たなかったのだ。

「投票権さえあれば、こんな状況に物申すことができるのに――」。だが、そうした人々の思いとはうらはらに、当時投票権を持っていたのは、少数の裕福な人だけだった。

　こんな社会はおかしい、と考えた彼らは、行動で示そうとした。署名運動をし、ストライキを決行し、果ては工場の機械まで破壊して回った。だが、状況はなかなか変わらない。それでも諦めず、みんなで集まってはさまざまな意見を出し合う。こうした集会は、回を重ねるごとにどんどんその規模を増していった。

　マンチェスターの街では、1819年の夏に大きな集会が企画された。求心力のあるスピーカーたちが登壇し、選挙法改正をテーマにみんなで広く議論し合う、というのがその内容だった。ちなみに、人々は決して当時の政府を倒そうとしていたわけではない。ただ政治が自分たちの立場にも配慮したものになってほしい、と願っていただけだった。

8月のある晴れた日。市民たちは晴れ着に身を包み、街の中心部にある広場「セント・ピーターズ・フィールド」にやって来た。バンドが音楽を奏で、みんな横断幕や軽食などを自由に持ち寄る。これほど大規模になった集会は初めてのことで、集まった人数はなんと、街の人口の半数を超えていた。

確かに参加者の数は尋常ではなかったが、これ以上ないくらい平和的な集会だった。だが、政府の目に映った大衆の姿は、フランス革命を彷彿とさせたようだ。慌てた政府は、近隣の街のパブで酒を飲んでいた騎兵隊の連中を集め、急遽現場に向かわせた。

酒に酔い、統率もとれていない軍隊に突撃され、広場はたちまち地獄絵図になった。数年前に起きたナポレオン戦争を知る人々は、イギリス軍がナポレオンに引導を渡した「ワーテルロー（ウォータールー）の戦い」よりもこの日の現場のほうがもっと酷かったと語り、人々はそれになぞらえて、この事件を「ピータールーの虐殺」と呼ぶようになった。

市民の怒りはまたたく間にイギリス全体に広がった。この「ピータールーの虐殺」こそが、真の意味でのイギリスの民主主義運動の始まりだと言う人も多い。そして、ここから社会変革の波が押し寄せた。数年後、マンチェスターは独自の選挙区を設け、市民層出身の初の議員が誕生。次の19世紀にかけて、市民の選挙権はさらに認められるようになっていった。

我々には、「働き、休む権利」がある

メーデー　世界各地　古代から現在まで

いまから何千年も前のこと。ヨーロッパ北部では毎年、長い冬が終わり、大地に緑が芽吹くころになると、人々は家から外に出て春の訪れを祝った。5月に気温が上がると、秋以来顔を合わせていなかった仲間たちと集い、喜び合う。太陽が当たる季節の再来を祝うこの祭りは、ケルト語で「炎の日」を意味する「ベルテン」や「ベルティナ」と呼ばれていた。

祭りの日には、人々はごちそうを並べ、「メイポール」（五月柱）と呼ばれる長い木の柱の周りを踊る。この祭りこそが、5月1日を「メーデー」と呼ぶようになった由来だ。普段の過ごし方とは打って変わって、この日だけは、みんな社会で自分が担っている役割を放り出し、思い切りおしゃれをして、無礼講ではしゃぎ回るのだった。

そんな自由な空気に満ちた5月1日は、やがて労働者たちが抗議をする日へと変化していく。フランス革命期には、メーデーは人々に急進的な考え方を広めるという趣旨のイベントになっていた。メイポールはどんどん大きくなり、祭りの雰囲気も荒々しいものになっていく。メイポールを飾るリボンには、いつしか「家賃は払わない！」といったスローガンが躍るようになり、暴徒と化した人々が金持ちの家から家財を奪って燃やしていった。

とくに有名なのが、1880年代のシカゴで起きたメーデーだ。当時の労働者は、1日16時間もの労働を週に6日こなすのが当たり前で、休息や余暇の時間はほとんどなかった。一方、仕事に就いていない人は、収入がないために家族を養うことができない。もし、いま働いている人の労働時間を減らして、その分でもっと多くの人を雇えば、みんなに賃金を行き渡らせることができる——そう考えた何千人もの労働者が、8時間労働制を求めて仕事をストップしたのだ。

ストライキを率いたリーダーの1人に、黒人の血を引くルーシー・パーソンズという女性がいた。彼女は労働者たちに、仕事をやめて座り込みをしようと訴えた。彼らのほうも彼女の呼びかけに応えた。そしてその日、シカゴの街は機能不全におちいった。

この歴史的なストライキに呼応して、1890年の5月1日、世界各国の労働者団体が「すべての人に8時間労働を」と一斉に訴える。

あちこちの町や村で、人々が通りに繰り出して、花輪を飾り、横断幕を掲げ、楽器を演奏し、家族と連れ立って歩いた。何十万人もの労働者が、この日は働くのをやめて、抗議活動をし、団結を確かめ合ったのだ。

アメリカでは、ストライキに臨む労働者の勢いに危機感を覚えたアイゼンハワー大統領が、メーデーのイメージを払拭しようと1958年5月1日に別の記念日を提唱した。その名も「法と秩序の日（Law and Order Day）」。社会の秩序を乱さず、落ち着いた行動をとるように労働者に求めたが、メーデーはますます大きくなるだけだった。労働者たちは抗議活動を続け、チリやオーストリア、日本やニュージーランドに至るまで、あちこちの国で8時間労働制が勝ち取られていった。

メーデーは今日においても、労働環境や労働時間、賃金条件の改善を訴える重要な日として位置付けられている。また、新しい考え方が生まれていく過程を学び、それを尊ぶ機会も与えてくれるのだ。

［8時間の労働と8時間の休息と
残りの8時間は自分のために］

何もしない

ストライキから座り込みまで、権力に対して非協力的な姿勢を貫くことは、市民が抗議の意を表明する方法として最も効果的なものの1つだ。日常の経済活動をストップさせることによる効果はもちろん、何もせずじっとしている姿自体に、ゆるぎない強さや、平和のイメージがくっきりと浮かび上がる。

BED PEACE, HAIR PEACE 1969年

1960年代ごろ、スーパースターだったジョン・レノンとオノ・ヨーコは結婚を決めたものの、きっと大量のパパラッチに追いかけ回されるだろうと、想像しただけで辟易していた。どうせ世間の注目を集めるなら、有効に活用できないだろうか——そう考えた2人は、自分たちのハネムーンをベトナム戦争反対のキャンペーンへと塗り替えることにした。そこで、自分たちが宿泊しているホテルに、毎日のように写真家や記者を招き入れ、『Hair Peace』『Bed Peace』[注]と書いたポスターを背景に、ベッドに身体をあずけた格好で取材を受けた。こうすれば、2人の写真には、反戦のメッセージが必ず一緒に写り込むことになる。ジョンとヨーコは、単に黙って平和を祈るのではなく、「何もしない」姿によって見事に彼らの主張を訴えてみせたのだった。

我慢くらべ 1930年

イギリスの植民地下にあったインドが、独立を求めて戦っていたころのこと。独立運動家たちは、塩の購入にかかる税金をイギリス政府に払わないようにするため、自分たちで塩を作りはじめた。あるとき、「イギリス植民地政府が塩の貯蔵庫を強制捜査するらしい」といううわさが流れ、人々は塩を守るために倉庫の前に座り込んだ。警察が現場にかけつけたが、暴れるでもなく、くつろいだ様子でじっと夜を明かすその様子に、どうしていいかわからない。そこで、一緒になって座り込み、「君たちが動かないつもりなら、我々もその気だ」と言った。警察もかなり頑張って、ついに28時間が経過したが、結局は人々の粘り強さには敵わなかった。こうして、塩は無事に守られたのだった。

「腰の低い引き延ばし工作」 1940年代

原子力爆弾——。広大な範囲を一気に破壊する威力を持つこの兵器を、独裁者ヒトラーはナチスドイツとして手に入れたいと考えていた。ドイツ人の科学者たちは、核兵器について研究するよう命じられると、是が非でもという様子でうなずいて見せたが、じつは内心、「こんな恐ろしい構想は何としても失敗させなければ」という決意を固めていた。そこで彼らは、重要な計画や情報をことごとく隠蔽し、開発の進捗を尋ねられるたびに「やはりどうしても難しくて……」とお茶をにごした。こうして、ナチスドイツ体制下の科学者らはひそかに仕事をごまかし続け、ヒトラーが権力を握っているうちは決して核兵器が完成しないよう、一線を守り通したのだ。

[注]「平和になるまで髪を伸ばそう」「戦争をするより愛しあおう」という意味。

スタンディング・マン　2013年

トルコの大都市インスタンブールにあるタクシム広場では、数週間にわたりデモが繰り広げられていた。当初人々が訴えていたのは、広場に隣接するゲジ公園と、市民の憩いの場になっていた文化センターの開発・取り壊しへの反対だったが、その動きはいつしか政権自体に対する抗議活動になっていった。警察の介入でデモ隊は徐々に排除されていき、がらんとしてしまった広場を前に、あるときエルデム・ギュンドゥズという1人のアーティストが立ち尽くす。彼はただそこに立ち、文化センターのほうをじっと見つめていた。数時間が経っても微動だにしない。やがて、ほかの人々も彼に加わり始めた。何百人もの人が黙って立ち、彼らが守りたいもの（文化センターと、それが象徴するトルコ近代化の精神）にひたむきに思いを捧げる姿は、さらに多くの人の共感を集めていった。

仮病　1600年代-1800年代・1950年代

抵抗の方法として仮病が用いられ始めたのは、アメリカ大陸のプランテーションでアフリカ人奴隷が強制労働させられていたころが始まりだと言われている。奴隷は法的に守られていなかったので、具合が悪いふりをすることが唯一、過酷な労働から逃れる手段であり、また主人の懐に打撃を与える方法でもあったのだ。奴隷たちが転売されるような場面では、彼らは自分に障害があったり病気を患っていたりするかのように装って、意図的に自身の価格を下げにかかったという。

1950年代の中国でも、これと同じ戦法が用いられた。当時、人々は労働条件に対して不満を抱えていたものの、いわゆる労働組合のような団体は組織されていなかった。そのため、労働者たちは体調不良を訴えたり、寝込んでみたり、あの手この手で仕事を病欠して、職場の生産性を低下させたのだった。

眠れる退役軍人たち　1971年

ベトナム戦争から引き揚げてきたアメリカの軍人たちは、現地で目にした凄惨な光景や、自らに強いられた残酷な命令の数々のせいで、心に深い傷を負っていた。彼らはホワイトハウス近くのナショナル・モールで、1週間ほど抗議活動をしようと思い立ち、そこで自身の体験談を語ったり、デモをしたりした。戦犯として警察に自首しようとまで思いつめている者もいた。政府はデモの計画を承認したが、彼らがそこで寝泊まりすることは認めなかった。退役軍人のなかにはほかに行く当てがない者も多く、そうした人たちは法令に背いてナショナル・モールで夜を明かした。彼らは政治活動を行うことに心の安らぎを見いだしており、その姿は、戦争のせいで彼らがいかに日々悪夢に苛まれ、眠れぬ夜を過ごしてきたかを痛切に物語っていたのだった。

私たちは醜くない
私たちは美しくもない
私たちは、
怒っているのだ

女性の権利

言葉よりも行動を

サフラジェット　イギリス　1900年代

イギリスでは、女性たちが長きにわたり、投票する権利――つまり参政権（英語では「サフレイジ」）を巡って戦っていた。根気よく活動を続け、あと少しで法改正というところまで迫ることも何度かあったが、議会を占める男性たちはいつも最後の最後で抜け道を作り、なかなか認めようとしなかった。女性たちのなかには「もっと腰を据えて真摯に訴えかけよう」と考えた者もいたが、「これはもう、戦い方を根本的に変えなくては」と受け止めた者もいた。

「私たちの声を無視するなら、なんとか聞かせるまでよ」と言わんばかりに、とある女性グループ※が早速行動を起こした。議会の総選挙を翌年に控えた1905年、2人のメンバーが、当時野党だった自由党の集会に横断幕を掲げて乗り込んだのだ。2人は立ち上がり、議会を中断させ、「いつ女性は投票権が得られるのか」と何度も大声で詰問した。当時の社会常識からすれば、女性が公共の場で叫ぶなど言語道断。このような大胆な行動に踏み切った2人は逮捕されてしまった。だが、彼女らの勢いは収監さわぎで鎮静化するどころか、これによってグループの活動はかえって広く知れわたり、世の女性たちにもっと参加するよう訴えかける結果となった。

グループの規模が拡大するにつれて、デモの参加者もどんどん増えていき、この新しい抗議活動に賛同する人がいかに多いかをはっきりと物語るようになっていった。それまで穏便なやり方で女性参政権運動をしていた人々は「サフラジスト」と呼ばれていたが、保守系の新聞がそれをもじり、わざわざ「女性らしさ・可愛らしさ」を表わす接尾語「-ette」をつけて、グループに与する女性たちのことを「サフラジェット」と書き立てた。ところが、そんな皮肉は彼女らには通用せず、むしろ実力行使派として一線を画す自分たちのアイデンティティとして、好んで自称するようになった。サフラジェットのユーモアのセンスは、その行動力に負けず劣らず尖っていたということだろう。

※グループの名称は「女性社会政治連合（Women' s Social and Political Union）」。頭文字をとって「WSPU」とも。

グループの人数はしだいに膨れあがり、抗議手法もさまざまに派生していく。やがて反骨精神あふれるメンバーは、あらゆる破壊行動に出るようになった。「サフラジェット」とは、もはや単に1つの政治的なスタンスを指すだけのものではなくなっていた。これまで社会で男性の影に隠れ、その創造性も知性も抑圧されてきた女性たちにとって、もっと前に出て、大胆に自分の人生を生きるという姿勢そのもの。そして、そのために支え合うコミュニティという意味を持つ言葉になっていたのだ。サフラジェットの勢いは、もはや無視できない程度にまで強くなっていた。

サフラジェットは法を犯すことをいとわず、むしろそれを1つの戦い方として利用していく。警察に取り押さえられそうになったときのために、「サフラジツ」と呼ばれる護身術まで身につけた。収監されたメンバーの多くは、牢中で食事を拒否するハンガーストライキを続け、看守に食べ物を無理やり口に突っ込まれるなど、むごい経験をした。だから、釈放されると仲間からは大いに称えられ、勇敢に戦った証のメダルが与えられた。「牢に入ったってかまわない」と思えば、彼女らにはもう怖いものなど何もなかった。

サフラジェットが参政権を勝ち取るために試みた、さまざまな抗議方法を紹介しよう。

議会の外の柵に、自らを鎖でしばりつけて……

警察が鎖を外そうと悪戦苦闘する間に、抗議スピーチをする

「人間レター」と称して、自分自身を首相官邸に郵便で送りつける。

議会へと詰めかけると……

内側にいる政治家たちに聞こえるように、何千人もが一斉に議場の扉をバンバンと叩く。

議会に家具の類を運び入れるトラックの中にこっそり隠れる。こうして実際に2人のサフラジェットが議場に入り込み、議員たちに向かって抗議のスローガンを叫んだのだった。

昔の時代の衣装を着て……

……歴史上の有名な女性になりきり、それぞれの時代に刻まれた女性の力をアピールする。

当時のコミュニケーション手段の中心だった郵便システムを混乱させる。

ポストにジャムやインクや硫酸を流し入れたり、ときには火をつけたり。

政治家たちがふと気を抜いたときにも、彼女たちのメッセージが目に入るように……

……ゴルフコースの芝生を、抗議スローガンの文字の形に焼いてしまったり。

歩道にチョークでスローガンを落書きしたり

イギリスの伝統菓子、トフィーを砕く用の小さなハンマーで、ロンドンじゅうの建物の窓を割り……

首相がいつまで経っても女性に投票権を認めようとしないことに対する抗議の意を表現した。

女性たちが王政に打ち勝った日

アベオクタの女たちの反乱　ナイジェリア　1940年代

ナイジェリア南部地域では、もともと女性は男性と比較的対等な立場にあった。食べ物を育ててはマーケットで売り、男性から自立して生きることができていたのだ。仲間どうしのネットワークも強く、コミュニケーションがスムーズにできるので、困ったことがあれば互いに支え合う。政治の場にもしっかりと参加していて、社会のあり方について意見を述べることもできていた。

ところが、イギリスがアフリカを植民地にしたことで、すべてが変わってしまう。イギリスは、アメリカやニュージーランドやインドなど、世界中のほかの植民地と同じように、西アフリカの人々の生活を、自分たちに馴染みある西洋風のものにどんどん変えていった。こうして、男性優位で、女性を無視する社会ができてしまったのだ。

イギリスは、現地の女性の力を取り上げると、まもなく税を厳しく取り立てるようになった。「家の前をほうきで掃かなければ罰金」など、おかしなルールがたちまち濫立していく。イギリスの間接統治下で、アベオクタという街を治めていた王ラダポ・アデモラも、こうした税金を徴収してはイギリスにせっせと渡し、自らの権力と、懐に入ってくる金にあぐらをかいていた。

こんな社会に憤り、やがて1人の女性が立ち上がる。アベオクタの学校で教頭をしていたフンミラヨ・ランサム＝クティだ。彼女は、州政府が王の指示のもと、マーケットで働く女性へ過剰に課税している状況に反対しようと、「アベオクタ女性クラブ」を設立した。

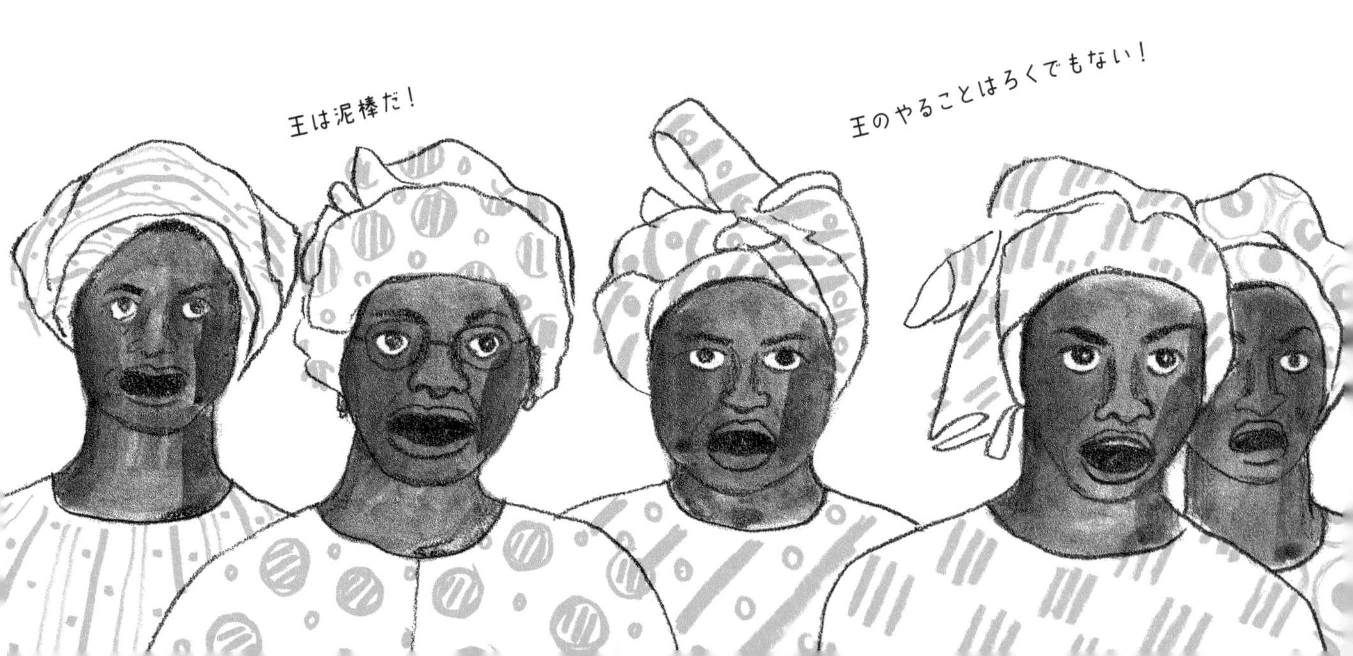

クラブでより政治的な事柄を取り上げるようになるにつれて、団体は「アベオクタ女性同盟」と名称を変え、マーケットで働く人に限らず、あらゆる層の女性たちに広く門戸を開く。すると、すぐさま何百、何千という人が参加を表明。彼女らは、不平等な課税の廃止を訴えるだけでなく、さらに高い目標を掲げるようになる。――すなわち、植民地主義のルール自体を変えさせること、さらには女性の代表者が政治の場できちんと発言できる状態を目指そうと誓ったのだった。

アベオクタ女性同盟の活動はしだいに勢いを増していった。王への嘆願が聞き入れられないと見るや、会計士を雇い、税金の使途に関する不正な会計処理の実態を暴く。これを受けて、街の多くの女性が抗議の意を示し、税金を支払うのをやめた。フンミラヨ自身はイングランドへと渡り、記者団やイギリス政府の前で、ナイジェリアの実情について訴えた。

ところが、それでも王が一向に動こうとしないので、女性たちは王宮の外で一斉に抗議することにした。抗議の最初の日は、千人が集まった。その次は1万人が集まり、みんなで王を笑いものにする歌を歌った。逮捕された者も多かったが、それでおとなしくなるはずがない。彼女らには計画があったのだ。また次のときには、王宮の外にキャンプを張って、仲間が釈放されるまで頑として動かなかった。その数、なんと5万人！王のために働いていた各地域の長も、どちらに分がありそうか、風向きを察するようになる。やがて彼らも女性たちの側につき、不平等な課税を廃止して、女性の代表者を初めて政治の場に迎え入れた。こうなると、さすがの王もこれ以上は王座にしがみつくことはできなかった。ついに、女性たちが勝利したのだ。

フンミラヨ・ランサム＝クティは、その後も生涯を通してナイジェリアの女性のために戦い続けた。また、ナイジェリアの「Western House of Chiefs（西部首長議会）」の代表として、初めてその名を連ねた女性にもなったのだった。

女性の団結

ウーマン・リブ運動　グローバル　1970年代以降

1970年のイギリスでは、伝統的な女性像からの脱却を訴える女性解放運動が産声を上げようとしていた。女性の参政権はそれより40年ほど前にすでに確立していたものの、戦いは終わっておらず、いわゆる「第二波フェミニズム」が興ったのだ。彼女らが願ったのは、一個人として尊重され、性差別や暴力を受けないこと。また、人生における選択の自由も、賃金も、社会における地位も、男性と平等であること。そして、外見で判断されないことだった。

この年も例年どおり、「ミス・ワールド」コンテストの開催がロンドンで予定されており、フェミニズム運動家のグループは、この機に乗じて行動を起こそうと考えた。そこで、授賞式の観覧チケットを買い、おのおの華やかな衣装に身を包んで観客席に陣取ると、コンテストのファイナリストが水着やドレスを着て舞台を歩くのを見つめた。その姿は、セクシーなイベントを普通に楽しんでいるほかの観客と何ら変わらず、彼女たちが抗議グループの面々だとは誰も気づかなかった。ところが、ファイナリストらがステージを去り、司会者がきわどいジョークを飛ばしたところで、フェミニストたちは一斉に動いた。2階席からは小麦粉爆弾を投げ込み、1階席では抗議のチラシをばら撒き、水鉄砲で警備員にインクをぶちまける――。会場はたちまち騒然となった。

抗議グループは警察に連行されたが、その目的は十分に達成できた。コンテストの様子は世界中で放映されており、テレビで一部始終を目撃した人は1億人以上。翌日はどこもかしこも、この話題で持ち切りだった。「ウーマン・リブ（女性解放）」という言葉がお茶の間の人々にも浸透し、女性の権利を求めて戦うこのダイナミックで新しい動きに、社会の関心が集まっていったのだ。

これに呼応するように、世界のあちこちで、フェミニストがそれぞれ行動を起こしていく。

日本で有名なのは、「中絶禁止法に反対しピル解禁を要求する女性解放連合」、略して「中ピ連」だ。白いスーツにピンクのヘルメットを着けた女性の一団が、性とジェンダーの平等を訴えるデモを繰り広げ、ときには不倫をしている夫の職場に押し掛けることもあったようだ。

ベトナム戦争期には、ベトナムの女性たちが自らを暴力から守るため「女性委員会(Committee of Women)」を設立。その抗議はひそやかに仕掛けられた。たとえば、女性のグループが買い物でもするような様子で街へ出かける。そして突然、身につけていたスカーフをさっと外してステッキに括り付ければ、あっという間にアメリカの支配に反対するスローガンが書かれた横断幕に早変わり——。こうした抗議によって仲間が逮捕されれば、みんなで小さい子どもや赤ちゃんを連れて、拘置所の外で何時間も座り込む。そのあまりの騒々しさに看守も降参して、収監されていた女性たちを解放したのだった。

アメリカでは、フェミニズム運動家が「自由のゴミ箱」と名付けた大きなゴミ箱を用意して、社会から押し付けられた女性像を象徴するようなもの——たとえば鍋やフライパン、ブラジャー、つけまつげなど——をその中にどんどん投げ入れていった。

近年の事例では、ジンバブエで2014年、ミニスカートを履いていた女性が「下品な服装だ」と揶揄され、路上で男性の集団から暴行を受ける事件が発生。これに抗議するデモが行われた。ジンバブエの女性たちも、ほかの世界中の国々の例にもれず、服装についてあれこれ言われたり、女性差別論者から冷たい言葉を浴びせられたり、暴力におびえたりする状況に、もう我慢の限界だったのだ。こうして、思い思いの服を着て通りを占拠する女性たちの抗議が契機となり、ジンバブエでもセクシュアル・ハラスメントが社会的な問題として取り上げられるようになった。

交通手段

自転車、車、電車にバス――私たちが普段利用する交通手段も使い方次第で、社会に訴えたい問題に対する世間の注目を集めるのに役に立つ。こうした交通手段を抗議にうまく活用すれば、みんなで団結し、日常生活をストップさせ、都市の在り方を再考させることができるのだ。

ご自由にお通りください　2012年

ニューヨークでは、労働者たちの賃金はなかなか上がらないのに、市民の足である地下鉄の運賃値上げが続いていた。お金がない黒人の若者が無賃乗車しようとして逮捕されるという事件も頻発。こうした状況に反発した労働者や抗議活動家は、地下鉄の改札口を開け放して鎖で固定した。そして、「フリー乗車実施中。運賃はいただきません。このまま改札をお通りください」と、あたかも公式な掲示物であるかのように巧妙にデザインしたポスターを貼り、それを見た利用者は次々と改札を通過していった。この一連の出来事は、「なるほど、こんな抗議方法もあるのか」と人々に考えさせるきっかけになった。

スローな変化　1983年

ピノチェトの軍事独裁下にあったチリでは、抗議活動をする者は逮捕され拷問を受ける危険があった。だが、やがて彼らは、沈黙を貫き、行動しないことそれ自体が、自分たちの訴えを表現する手段になり得ると気づく。全国的な抗議運動が初めて組織された日、突然、タクシーが普段の半分くらいのスピードでのろのろ運転を始めた。すると、それに呼応するように、ほかの車も、バスも、道を歩く人々も、みんなが動きをスローにしていったのだ。ただ動作がのろいというだけでは、誰も逮捕されない。ひそかに、けれどもオープンに行われたこの運動によって、どれだけゆっくりでも変化はいつか確実にやって来るのだと、人々は信じることができた。そして、それはやがて現実のものになっていったのだ。

運賃無料　2018年

日本の岡山県のとあるバス会社では、競合他社の参入によって雇用の維持に危機感を覚えた運転手らがストライキを計画。だが、バスの運行を取りやめれば、日常の移動手段をバスに頼る利用者が困ってしまう――。そこで彼らは、バス自体は走らせつつ、乗客から運賃を取らないことにした。これなら、街の人は無事に通勤できるし、バス会社にはその日の売り上げは入らない。運転手たちの行動は多くの人の共感を呼び、メディアの注目も集めたのだった。

道路を封鎖せよ　1971年

アメリカでベトナム戦争反対を訴えていた人々は、戦争をやめさせるには政府の機能をストップさせるしかないと考えた。そして、政府関係者がホワイトハウスへと通勤する道を塞いでしまおうと、首都ワシントンD.C.の地図を広げて要所に印をつけていった。いざ迎えた決行の日、集まった若者はなんと2万5千人。だが、彼らが道路の封鎖を完了する前に、3分の1近いメンバーが警察に拘束されてしまい、アメリカ史上最も大規模な一斉逮捕劇となってしまった。結局、街の封鎖は叶わなかったが、市民の間でこうした計画が持ち上がったこと自体、このまま戦争を続けるのではなく、自国の秩序に混乱をきたすのを避けるべきではないかと、政府に再考を促す結果になった。

バスをロックオン　2010年代

「Disabled People Against Cuts（DPAC）」は、イギリスを中心に活動する抗議団体で、障害者の生活を支える福祉やサービスを政府が縮小しようとするのに反対している。その手法は、車椅子を何台も連結させて道路を塞いだり、またほかの車椅子をバスに括り付けたり。このように交通を妨害することで、障害者の暮らしも政府の福祉予算削減によって同様に支障をきたしているという現実を訴えているのだ。

サフラジェット、自転車に乗る　1900年代

かつてのイギリス社会には、女性が自転車に乗るなんてはしたない、という風潮があった。女性たちが自転車で風を切る自由の味を知ってしまえば、もう家で夕食を作らなくなってしまうのではないかと、心配する男性も多かった。だから、サフラジェット（p.68）にしてみれば、自転車に乗ること自体が抗議活動になった。自転車があれば、集会に出かけるにもいちいち男性に送ってもらう必要もない。チラシも遠くまで配りに行けるし、法律を犯すような抗議行動の後もさっと逃げられる。ついには、サフラジェットのテーマカラーである緑と紫と白の3色[注]でデザインされた自転車まで登場した。

警官ピエロ　1990年代

コロンビアの首都ボゴタの市長になったアンタナス・モックスは、治安が悪いイメージの街を、何としても明るいコミュニティに変えなければ、と心に決めていた。まず手を打ったのは、街を混乱に陥れる危険運転をこれまで野放しにしてきた交通警官をクビにする、というアプローチ。ただし、パントマイムをやってくれるなら引き続き雇用する、と条件を付けた。やがて、通りは顔をペイントし、滑稽な衣装に身を包んだピエロでいっぱいになった。彼らは、危険な運転を見つければそのマネをして周囲の笑いを誘い、マナーの良い運転は大いに称え、歩行者が安全に道を横断できるよう交通整理をする。市民もこれに協力し、ともに笑い合うことで、「きっとこの街は良くなっていく」という希望が人々の胸に芽吹いていった。

［注］緑は「希望」、紫は「尊厳」、白は「純粋さ」を表わしている。「Green-White-Violet」の頭文字は「Give Women Votes」と同じ。

真理の力

独立と抵抗

海のほうへ！

塩の行進　インド　1930年

1600年代以降、イギリスはヨーロッパのほかの植民地主義の国々と、インドをめぐって争っていた。当時のヨーロッパから見たインドは、「香辛料や絹など、自国に持って帰れば高く売れるモノがたくさん詰まっている巨大な倉庫」という位置づけだった。イギリスは次第にその支配権を強めていき、やがてインド全土を併合する。イギリス本国では、インドを指して「国王の王冠にはめ込まれた最大の宝石」と表現していたという。

だが、インドの人々にしてみれば、他人の所有物に成り下がるわけにはいかない。そこで、イギリスからの独立を求める長い戦いが始まり、ボイコットや抗議運動やストライキが各地で発生した。そんななか、モハンダス・ガンディーという人物が登場する。「我々インド人は、もっと果敢に戦わなくてはならない。しかし、戦争でイギリスに打ち勝つことはできないだろう」――そう考えたガンディーは、暴力を使わない、まったく新しいやり方で戦おうと訴えた。

ガンディーは、自身が提唱する「非暴力」の手法を、サンスクリット語で「サティヤーグラハ」、つまり「真理の把持(はじ)」という言葉で表現した。それは、単に戦うのを放棄するということではなく、たとえ抑圧の憂き目に遭ったとしても不屈の強さを貫き通す、という精神を表わしていた。

ガンディーは、この抵抗運動を成功させる方法を何年間も模索した。あるとき、インド全土の人々の心をつかむためには、日常生活に根差した小さなものごとに焦点を当てるとよいのではないか、と思いつく。当時、イギリスが塩の専売権を握っており、人々が塩を買うには高い税金を払わなくてはならなかった。そこでガンディーは、「自分の手で塩を精製する」と宣言して、海に向かって歩き出した。

ガンディーと、彼が当初声をかけて集まった77人の賛同者は、イギリス帝国からすれば初めはたいした脅威ではないように思われた。だが、海へと向かう道すがら、彼らはあちこちの村に立ち寄ってインドの独立を訴え、この「塩の行進」を一緒にやらないかと人々に説いて回った。そうして海にたどり着くころには、1万2千人もの大行進になっていたのだった。

こうした人々はもはや、イギリスによる支配から自国を取り戻そうと平和的手段で独立を志し、非暴力的を貫く「軍隊」と呼べるほどの規模になっていた。彼らは塩の精製場を独自に作り、イギリス製の綿布や酒類の不買運動を展開し、政府のために仕事をするのをやめた。

数カ月のうちに事態が急変したことを受け、慌てたイギリス側はガンディーを本国での会合に招き、なんとか交渉を試みる。イギリスがインドに正面から配慮する姿勢を見せたことはそれまでほとんどなかったため、話し合いの場が持たれたこと自体が快挙と言ってよかった。これを機に、インド自治への扉が少しずつ開き始め、あとはもう、イギリスがインドから手を引くタイミングと手法を調整するのみ。そして1947年、インドは晴れて独立を宣言したのだった。

1人の人間として見れば、ガンディーは決して完璧な人物だったわけではなく、インドの慣習的な身分制を肯定するなど、必ずしもすべての人の平等を謳っていたわけではない。それでも、彼が提唱した「非暴力・不服従」が、20世紀に展開されたほかの多くの抵抗運動でも成功の鍵となったことは間違いなく、今日の社会で活動をする人々のなかにも、その精神は確かに受け継がれている。

グーテン・ターク！

ナチスへの抵抗運動　ヨーロッパ　1930年代〜40年代

1930年代のドイツでは、アドルフ・ヒトラーがナチ党の党首として権力を握るようになっていた。ユダヤ人をはじめ、ロマ族（ジプシー）、LGBTQ+、障害者など、ヒトラーの屈折した「理想の人間観」にそぐわないとされた人々は、この状況に戦々恐々としていた。こうしたグループに属する人は、ナチスの親衛隊に次々と捕らえられ、強制収容所へと送られる。「ホロコースト」として知られる大量虐殺で犠牲になったユダヤ人は600万人とも言われ、そのほかにも多くの命が失われた。

ナチスがヨーロッパ近隣諸国への侵略を開始し、各地を脅かすようになると、諸国は同盟を結んでこれに対抗し、1939年、ドイツに対して宣戦布告した。こうして始まった第二次世界大戦の歴史はあまりにも有名だが、じつはその陰で、ナチスに対して非暴力的な手段で効果的に戦った人々がいたことは、あまり知られていない。

ナチス体制下では、ユダヤ人は迫害対象の目印として、ユダヤ教の象徴である「黄色い六芒星」のバッジを身につけなければならなかった。これに抗議する人々のなかには、民族の違いを超えて団結し、ナチスの思惑をくじくために、自分自身はユダヤ人ではないにもかかわらず、進んで黄色い星のシンボルを身につける動きがあった。たとえばハンガリーでは、女学生たちがユダヤ人のクラスメイトの身を守るために、みんなで制服に黄色い星のマークを縫い付けたという。ナチスが決めた法律に真正面から違反するのはきわめて危険だったので、人々は何とかそれをかいくぐりながら、このように秘密裏にメッセージを交わし合う方法をあれこれと編み出していった。

オランダのロッテルダムの街頭では、ユダヤ人への思いやりを謳うポスターがひそかに貼られた。ポーランドのワルシャワでは、「The Little Wolves」（小さなオオカミ）と名乗る少年グループが、反ナチスを示す落書きを街のあちこちに残していった。

ある日のこと、ベルリンでまだ強制連行されずに残っていたユダヤ人が、一斉に検挙されるという事件が起きた。多くの人はユダヤ人ではない相手と結婚していたので、彼らの伴侶は後に残されることになった。

夫を強制連行された妻たちは、夫を乗せたトラックを追いかけ、収容所まで押しかけた。その数はなんと6千人。みんなで収容所の門に詰め寄り、口々に夫の名を呼び、「どうか彼らを解放して！」と声を枯らした。

収容所では窓に近寄るのは禁じられていたが、女性たちの声を聞いた夫らは、何とか妻の姿を一目見て、自分の存在を知らしめようと、矢も楯もたまらず窓辺に身を寄せた。

警察官は、彼らのあまりの勢いにお手上げ状態だった。収容所に群がる女性陣を何度蹴散らそうとしても、すぐにまたみんな戻ってきてしまう。彼女らに退いてもらうためには警察官のほうが降参するしかなく、数時間後、夫たちは無事に解放されたのだった。

ノルウェーでは、「みんなでまとまろう」というメッセージの象徴として、人々がペーパークリップを服に留めていた。また、電車や路面電車では、ドイツ兵の隣に座るのを乗客たちが拒否した。これにはドイツ兵も堪えたようで、なんと「空席があっても座らないのは違法」という法律まで作られた。また、ドイツでは、ナチスに同調したくない若者が軍に入らなくてもいいように、入隊不適格の診断書を書いてやる医師もいた。彼らは患者を迎える際、「ヒトラー万歳」と決められた挨拶をするかわりに、あえて「グーテン・ターク（こんにちは)」と言うことで、抵抗の意志への共感を表現したのだった。

さらに、ノルウェーなどスカンジナビア地域では、ユダヤ人への憎悪を煽るナチス式の教育に教師が真っ向から反発する動きもあった。これに怒ったナチス側は、すべての学校を1カ月間閉めてしまう。そこで、教師らは子どもたちを家に招いて、こっそりと授業を行った。

ナチスの方針に従わなかったことで逮捕されてしまった教師は千人ほどいたというが、教育者たる彼らは、どんなに脅されても屈することはなかった。やがて、学校は徐々に再開され、収監されていた教師も自由の身になり、彼らが子どもたちに本当に伝えたいことを教えられるようになったのだった。

ナチスに抵抗する人々が街で大っぴらにデモをするのは、ドイツはもちろん、ほかの地域でも大変危険だった。

そこで、少数の学生が、ナチスの残虐さを非難するチラシを作成する。

「白いバラ」を名乗る彼らは、ドイツのあちこちで、一般家庭のポストにチラシを投函して回った。

やがて彼らはナチスに見つかり逮捕されてしまったが、最後に作成されたチラシがひそかにドイツ国外に渡る。

そのチラシをコピーして、ドイツと対立する連合国軍の飛行機が空からばら撒いた。強制収容所の上空でもチラシは撒かれ、収監されている人々に勇気を与えたのだった。

見ろ！
もうすぐ助けが
来るぞ！

俺たちは
見捨てられて
なかったんだ！

鍋とフライパン

カセロラソ　チリ　1971年〜73年

チリの主婦たちは、台所の戸棚をのぞき込んでため息をついた。野菜も米も豆も、食料をすっかり食べきってしまった。残されたのは、空っぽの鍋とフライパンだけ。それまでの社会では、主婦が何かに抗議運動をすることなんてなかったし、そもそもそんな考えすらなかった。だが、さすがに食料不足が深刻で、政府からの配給も細っていくばかり。ここで何とかしなければ、家族が飢えてしまう——。主婦たちは危機感を募らせていった。

そこで、彼女たちはシチュー鍋を手に表へ出た。何人かが木製のスプーンで鍋をカンカン叩き始めると、いったい何が起きているのか確かめようと、さらに通りに出る人が増える。すぐに子どもたちも加わり、あたりは鍋やフライパンを叩く音でいっぱいになった。忙しい母親や年老いた女性は、家から出られないので、かわりに台所の窓を開けて家のなかから参加した。

この音によるあからさまな抗議は、たちまち周囲に広がっていく。音が相手となれば、さすがの警察も捕まえて止めることができない。鍋とフライパンを叩く音は人々の声となり、やがて政府も無視できないほどに勢いを増していった。鍋を叩いて抗議する行為は、スペイン語の「鍋（カセロラ）」からとって「カセロラソ」と呼ばれ、政治に対して市民の批判を届ける最も手軽な方法として、南米のあちこちで使われるようになった。

じつは、「鍋を叩いて何かを主張する」ということが行われたのは、これが初めてではない。中世のころの村では、たとえば、あまり褒められたものではない者どうしの結婚や、威張り散らしている人物に抗議するときなどに、人々が鍋を叩いて村を練り歩く風習があった。

もっと最近になってからも、カセロラソは世界の各地で効果的に使われている。アイスランドでは2009年、経済危機を発端に政治への不満を爆発させた人々が、鍋を打ち鳴らしながら国会議事堂を取り囲み、やがて政権交代へと至った「鍋とフライパン革命」が起きた。カナダのケベック州でも2012年に、学費の値上げに抗議する学生たちが、連夜にわたり鍋を叩いてデモをして、州政府の譲歩策を引き出した。直近では、コロナウイルスのパンデミック下で外出制限がかかるなか、世界中で多くの人が家の窓やドアから顔を出し、やはりスプーンで鍋を叩いた。みんなで音を出すことで、社会の前線を支えてくれている人々に感謝の意を表し、離れていても心は繋がっていることを確かめ合うと同時に、政府の対応を注視していく姿勢を示したのだった。

食べ物は、すべての人にとって欠かせない。そんな食べ物を抗議のツールにすれば、活動を人々の日常生活のなかに溶け込ませ、盛り上げていくことができる。その結果、みんなにより平等に分け前が行き渡るようになるのだ。

自由の編み込み　1400年代〜1800年代

アフリカ人奴隷が船に詰め込まれ、アメリカ大陸へ向けて何千キロも海を渡らされていたころ、奴隷女性たちがユニークな抵抗方法を思いついた。なんと、自分や子どもたちの髪の毛に、米や、野菜の種や、豆などを編み込んでいったのだ。そしてプランテーションに到着すると、ひそかに持ち込んだ種を植えて育てた。こうすることで、食料や栄養を確保することはもちろん、自分たちが慣れ親しんできたアフリカの食べ物を通して、祖国の文化との心の繋がりを保つことができたのだ。

革命のトースト　1960年代〜70年代

1965年にアメリカで結成された「ブラックパンサー党」は、黒人への社会制度上の差別に対し、急進的な抗議運動を行っていた。彼らの信条は、「腹が減っては戦ができぬ」。そこで、貧困層の黒人の子どもたちが毎朝登校する前に腹を満たせるように、無料で朝食を提供するプログラムを開始する。この仕組みは、たちまちアメリカ全土に広がっていった。当初、政府はこれを止めさせようとしていたが、数年後には政府自身が「学校朝食プログラム」を実施するようになった。

平和のお茶　1962年

2人のインド人男性、サティシュ・クマールとE.P.メノンは、核兵器を保有している大国の大統領や首相に平和政策への転換を訴えようと、ニューデリーからはるばるモスクワ、パリ、ロンドン、そしてワシントンに至るまで、陸路を何日もかけて徒歩で旅をしていった。2人はこの「平和の巡業」の途中、アルメニアで、とある紅茶工場の前を通りかかる。すると、そこで働く女性たちが茶葉の包みを4つ持ってきて、各国の首脳にそれぞれ1つずつ渡してほしい、という。そして、「これは、『平和のお茶』です。もし、核のボタンを押さなければという思いに駆られたら、ひとまず一息入れて、お茶を1杯飲んでください」というメッセージを添えたのだった。

カッテージチーズの同志　2011年

カッテージチーズは、イスラエル人の食卓には欠かせない食べ物だ。ところがある日、その価格が倍ほどにまで急騰してしまう。人々は抗議して、フェイスブックのページを立ち上げ、カッテージチーズの不買運動を呼び掛けた。スーパーでは、売れ残った商品がどんどん傷んでいったが、もとの価格に下がるまでは、誰も棚に手を伸ばそうとしなかった。この騒動をきっかけに世間でも議論が巻き起こり、より広く生活全般の保障を訴える活動が展開され、イスラエルの物価全体の押し下げへと波及していった。

プディング・パーティー　2000年代

マウムーン・アブドル・ガユームによる独裁体制下にあったモルディブの首都マレでは、政権交代を訴える活動家たちが、市民を団結させるための仕掛けとして、国民食であるライスプディングを使ってはどうかとひらめいた。ビーチでのライスプディング・パーティーを企画したところ、大人数での会合は政府から禁止されていたにもかかわらず、街じゅうの人が会場にやってきて、大皿に盛られたプディングを頬張りながら、独裁政権を倒す方法について話し合った。ようやく警察が駆け付けたころにはもう、ライスプディングは人々の間で革命のシンボルになっていた。このライスプディング・パーティーはモルディブ全土に広がり、やがてその気運は政権交代へと繋がっていった。

シップ・イン　1966年

かつてニューヨークでは長い間、飲食店がLGBTQ+の人々へ酒類を提供するのは禁止、という暗黙の決まりがあった。平等性に欠けるこのルールを、世の人にきちんと知ってほしいと、あるとき数人のゲイ仲間が立ち上がり、バーをはしごしてアピールすることにした。彼らは店に入ると、バーテンダーに「僕たちはゲイです」と宣言したうえで酒を注文し、店の反応を窺う。これで実際にサービスを断られれば、同性愛者に対する差別の存在を白日の下にさらすことができる。3軒目に入ったバーでのこと。自分たちはゲイだと告げたとたん、バーテンダーがアルコールを注ぎかけていた手を止めた。その瞬間を、同行していた記者のカメラがすかさず捉え、翌日の新聞で大きく取り上げたのだった。この抗議運動は「酒をすする」という意味から「sip in（シップ・イン）」と呼ばれ、その後少しして、ゲイバーはやっと合法的に営業できるようになったのだった。

抵抗運動を支えた料理　1950年代

ジョージア・ギルモアというアフリカ系アメリカ人の女性がいる。米国南部アラバマ州で起きたモンゴメリー・バス・ボイコット事件[注]に参加したために料理人の仕事をクビになった後、彼女は自宅でレストランを開く。そこは、公民権運動の活動家たちにとって、反対派に会話を盗み聞きされたり、最悪の場合は毒を盛られたりするかもしれないなどと心配せず、自由に話しながら安心して食事ができる場所になった。また、仲間の女性らとともに、匿名性を担保した支援団体「Club from Nowhere（無名クラブ）」を設立。参加者は、その売り上げでバス・ボイコット運動を資金面から支えたのだった。

[注] 1955年にアラバマ州モンゴメリーで始まった人種差別への抗議運動。黒人女性のローザ・パークスがバスの座席を白人に譲らなかったとして逮捕されたことをきっかけに、キング牧師の呼びかけで黒人が一斉にバスの利用をボイコットした。

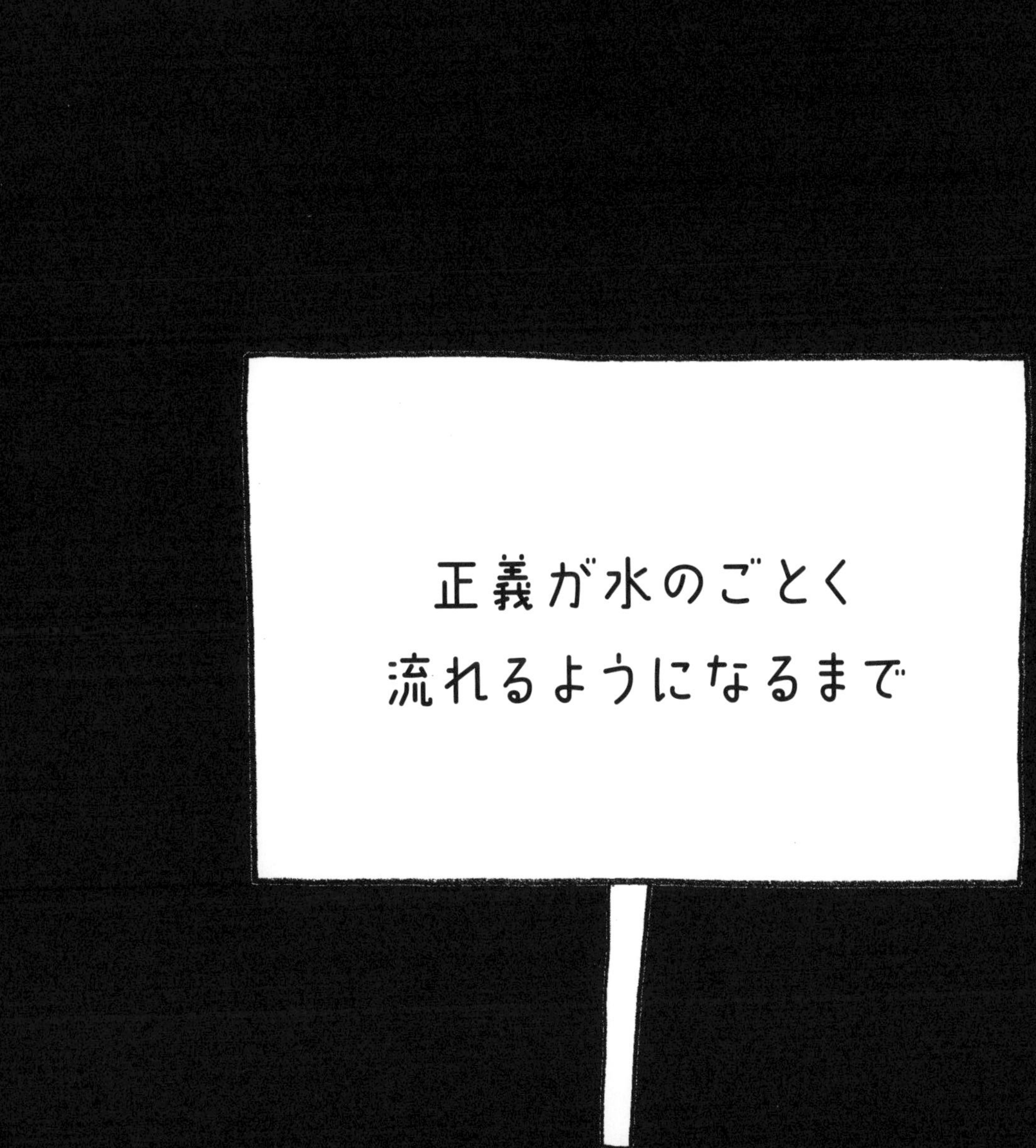

正義が水のごとく
流れるようになるまで

「C」は「Confrontation（対決）」のC

公民権運動　アメリカ　1940年代〜60年代

1940年代のアメリカでは、とくに南部州を中心に、黒人と白人の生活を社会的に分離する人種隔離政策が横行していた。奴隷制の廃止からは80年が経っていたにもかかわらず、黒人は日常的に暴力や差別に苦しんでいたのだ。

1945

バスでの抗議活動は、アフリカ系の軍人を筆頭に始まった。たとえば、米国陸軍に所属していた黒人女性2人が白人男性に席を譲るのを拒否し、運転手が2人を殴打し罵声を浴びせた、という事件があった。黒人の軍人たちも従軍先ではアメリカのために戦っていたのに、母国に帰ればこうして不平等な扱いを受けていたのだ。

1949

10代の姉弟、エドウィナ・ジョンソンとマーシャル・ジョンソンは、バスでの人種隔離策がとられていなかったニュージャージー州から、黒人差別の厳しいアラバマ州の街モンゴメリーへとやって来た。姉弟は、モンゴメリーで黒人に課されているバス乗車時のルールに憤慨し、席を譲らなかったため、逮捕されてしまった。

1950

黒人の乗客がバスに乗る際、運賃を支払ったら一旦バスから降り、黒人専用の後部ドアから改めて乗車する、というルールが存在していた。これに対し、退役軍人男性のヒリアード・ブルックスが抵抗。運転手の通報を受けてやって来た警察は、ヒリアードを殴打し、銃で撃った。ヒリアードは、その負傷が原因で命を落とした。

彼らが抵抗運動を始めた場所の1つが、バスだった。当時、黒人はバスの後ろのほうの座席にしか座れず、しかもその席すら白人の乗客が望めば譲らなくてはならない、という決まりがあった。

15歳の黒人女学生、クローデット・コルビンは、「人種隔離政策は絶対に間違っている」と考えた。そこで、白人女性のために席を譲れと運転手に言われても拒否したため、警察に逮捕されてしまった。彼女はパトカーのなかで、心を落ち着かせるために、ずっと詩を暗唱していたという。

クローデットの行動に勇気づけられ、多くの人がバスで抗議行動をするようになる。スージー・マクドナルドはもともと肌の色が薄かったため、バスの運転手はみんな彼女を黒人だとは気付かず、そのたびにあえて「私は黒人よ」と申告した。彼女は白人専用席に座ったせいで逮捕されたが、裁判で徹底的に争い、その後の人種隔離政策の廃止を後押しすることになる。

ローザ・パークスは長い間、公民権運動に積極的に携わっていた。ある日、バスで席を譲るように言われて拒否したローザは逮捕され、その知らせはたちまちモンゴメリーの黒人コミュニティを駆け巡る。憤った黒人たちは徹底的に抗議しようと、ローザのもとで蜂起したのだった。

ローザ・パークスの逮捕によって、バス・ボイコット運動に火が付いた。モンゴメリーに住む黒人たちが、バスの利用を一斉に拒否したのだ。バスに代わり、黒人が経営するタクシーが人々の通勤の足となった。雨の日でも、「安全でも公平でもないバスに乗るのは嫌だ」と言わんばかりに、黒人たちは徒歩で移動した。彼らの抗議運動は約13カ月も続き、最終的には最高裁判所が、公営バスによる人種隔離制は違憲との判決を下した。

バス・ボイコットをきっかけに、公民権運動は勢いを増していく。黒人差別が色濃い南部州のあちこちで、教会や大学を中心に抗議団体が立ち上がり、抗議のネットワークがどんどん広がっていった。

1950年代から60年代ごろ、アメリカのティーンエイジャーが好んで仲間と過ごしていた場が、地元のドラッグストアなどのなかにあるランチカウンターだった。そこで、みんなでミルクシェイクを飲んだり、ゴシップ話に花を咲かせたり、ジュークボックスから流れる音楽に耳を傾けたり——。だが、人種隔離政策のせいで、黒人学生はランチカウンターを利用することができなかった。

あるとき、ノースカロライナ州グリーンズボロ市で、4人の黒人学生が立ち上がる。1960年2月1日の午後4時半ごろ、彼らは連れ立って、白人専用のランチカウンターに向かい、席に座ってコーヒーを注文した。周りからは「そんなことやめろ」と脅されたり、なじられたりもしたが、閉店時間まで頑として居座ったのだった。翌日、彼らはさらに多くの友人たちを連れてランチカウンターにやって来て、そこで学校の課題をやった。こうして、近隣の街のランチカウンターは同じように座り込みをする黒人の若者でいっぱいになり、2カ月もしないうちに活動は9つの州、54の街に広がっていった。

座り込みをした黒人たちは徹底的に非暴力の姿勢を貫き、どんなに罵声を浴びせられたり、ケチャップをぶちまけられたりしても、何時間でもじっと耐えた。そうやって汚されてしまうとわかっていても、彼らはいつもきちんとした服装で抗議活動に臨んだ。活動家の1人、ジョアン・カントリーマンは「私たちの主張自体が十分論争の的になっているのに、見た目で世間から非難されるのは嫌だったのです」と語っているとおりである。ときには、自分の身元がわからないように、また瞳に浮かぶ感情を隠すために、サングラスをかけて周囲の視線をさえぎることもあったらしい。

実際に変化を起こしたいと思っている場で直接行動することで、抗議活動家は自分たちの主張が無視されないようにした。そうしているうちに、やがてあちこちのランチカウンターが、黒人にもサービスを提供するようになっていったのだった。

ほかにも、人種差別が存在した場所のあちこちで、クリエイティブな抗議運動が繰り広げられた。1961年の夏には、黒人と白人の若い活動家が長距離バスに一緒に座る「フリー・ライド」という取り組みを行う。ところが、これに人種差別主義者（レイシスト）たちが激怒して、バスに火炎瓶を投げ入れたり、活動家たちが緊急会合を開いている黒人教会に火をつけると脅したり、大変な騒ぎになった。その勢いはあまりに苛烈で、ついには大統領が活動家の保護に乗り出し、彼らが安全に目的地までたどり着けるように、警察や軍に護送させたほどだった。こうした危険にもひるむことなく、勇気ある活動家がどんどんフリー・ライドに参加したことで、やがて州境をまたいで走行する長距離バスでは、黒人と白人が堂々と並んで座れるようになったのだった。

だが、黒人たちの戦いはこれで終わりではなかった。公民権運動のリーダーのなかでも最も有名な人物であるマーティン・ルーサー・キング・ジュニアは、1963年、アラバマ州バーミンガムへ赴き、「Confrontation」（対決）の頭文字をとって「プロジェクトC」を立ち上げた。非暴力による直接行動、という抗議運動の新しいかたちがここに確立し、今回は子どもたちも主役になってキャンペーンが展開されていった。

5月のある木曜日の朝。7年生（日本でいう中学1年生）の生徒だったグウェンドリン・サンダースは、クラスメイトを先導して学校をとび出した。校長が正門を閉めて止めようとしたが、子どもたちは窓によじ登り、さっとすり抜け、ダウンタウンにある教会へとひた走った。街のあちこちで同じように、何百人もの子どもたちが集まって来ていた。

トランシーバーを使って連携をとりながら、子どもたちは50人ずつの小隊になって、街の店舗やレストランや政府庁舎へ向かった。そうして人種隔離制を採っている企業の経営者をつかまえて、その施策がどんなに不平等かを訴えたのだ。彼らは通りを平和に行進したが、警察は相手が子どもだろうと構わず逮捕していった。だが、また次の子どもたちが教会から出て来て、抵抗勢力の陣営はすっかり元どおりになるのだった。

翌日には留置場は満員になってしまった。新聞には子どもたちが消防による放水攻撃を受ける写真が掲載され、「こんな消防隊など国家の汚点だ」という批判の文字が踊った。消防隊員らはさすがに自らを恥じ、それ以上は命令されても子どもたちにホースを向けることはせず、前日に自分たちが水浸しにしてしまった教会の掃除を手伝うことで謝罪の意を示した。

抗議活動家が街を占拠すると、通りに面した店は休業せざるを得なくなった。数日もすると、事態を重く受け止めた企業の経営者らが活動家たちの声を聞き、人種融合を図っていくことに同意した。この運動により、アラバマ州政の非道さが世間の目にさらされ、警察署長はクビになり、市長も退任。バーミンガムはしだいに様変わりしていった。

バーミンガムでの出来事は、アメリカの歴史上最大の行進となった「ワシントン大行進」へと繋がっていく。同年8月に行われたこの大行進の目的は、公民権運動を展開する団体が一堂に会し、活動の盛り上がりと団結の強さをアピールすること。そこで、各地から活動家が電車やバスでワシントンD.C.に集結し、リンカーン記念堂の前で、キング牧師によるかの有名な演説「I have a dream」に耳を傾け、熱狂したのだった。

翌1964年に公民権法が成立し、さらに投票法や公正住宅取引法なども順に制定されていった。この1950年代から60年代にかけての公民権をめぐる戦いは、まさに歴史におけるメルクマールだ。社会の仕組みを根底から変えたのはもちろん、今日に至るまで、活動家たちに大きな影響を与え続けている。

ゲイ・パワー！

ストーンウォールの反乱　アメリカ　1969年

1960年代のアメリカは、性的マイノリティを意味する「クィア」（queer）な人々にとって苦難の時代だった。LGBTQ+の人々は社会から貶められ、どこへ行っても歓迎されない。つまはじきにあったり、逮捕されたり、攻撃されたりしないためには、自分たちのアイデンティティを隠すしかなかった。

LGBTQ+の人々は抗議運動を始めたが、当初のデモは比較的穏健なもので、「同性愛者も『ノーマル』な人間であり、尊厳ある存在だ」という主張に焦点が当たっていた。だから、参加者たちはスーツやドレスなど節度ある服装でデモに臨み、抗議イベントのことを「ゲイの権利に関する啓発の日」と呼んでいた。こうした動きを受けて法令も少しずつ変わりはしたものの、LGBTQ+の人々は依然、人間として劣った存在のように扱われており、ひっそりと生きていかざるを得なかったのだ。

彼らが自分らしく在れる数少ない場所の1つが、ゲイバーだった。とはいっても、ゲイバーが100％安全かというと必ずしもそうではなく、たいていの店はマフィアが経営していて、しばしば警察の踏み込み捜査を受けていた。そんなゲイバーのなかでもとくに重要な場所だったのが、ニューヨークにある「ストーンウォール・イン」である。ここは、単に同性愛者たちが安心してダンスを楽しめる場所というだけでなく、性的マイノリティという理由で住居を追われ、路上での寝泊まりを余儀なくされていた若者の安らぎの場にもなっていた。

ある夜、ストーンウォールに警察が踏み込み、めぼしい人々を逮捕しようとしたところ、いつもならほかの客はおとなしく店から去っていくのに、その日はどこか様子が違った。LGBTQ+の人々の我慢も限界に達していたのか、捜査が落ち着くのを待つどころか、逆にどんどん人が集まってきて店を取り囲み、警察を店内に閉じ込めてしまったのだ。警察の応援部隊が駆け付けると、集まった人々との衝突が始まり暴動へと発展。辺りは抗議の声でいっぱいになり、彼らはありとあらゆる手段で警察と戦った。

暴動は6日間続き、その中心にいたのは、マーシャ・P・ジョンソンやシルビア・リベラといったアフリカ系やラテン系のトランスジェンダー活動家だった。残念ながら、当時の新聞各社は、性的マイノリティの問題を取るに足らないと考えていたようで、各紙とも事件をほとんど取り上げなかったため、詳細を知るのは難しい。だが、彼らの想定に反して、この「ストーンウォールの反乱」は、LGBTQ+の権利をめぐる戦いにおいて、歴史のなかでも大きな転換点になったのだった。

これ以降、LGBTQ+の権利を求める活動はより急進的になっていき、「Street Transvestite Action Revolutionaries（STAR）」や「ゲイ解放戦線」といった団体が設立された。毎年6月には、ストーンウォールの反乱を記念して、世界中のLGBTQ+の活動家が各地で自分たちの文化を讃えるパレードを行うようになり、今日でも「プライド・パレード」として続いている。

STONEWALL
INN

［“白人専用”］

南アフリカを解放せよ

アパルトヘイト反対運動　南アフリカ　1940年代〜90年代

17世紀ごろ、南アフリカでもほかの諸国と同じく、ヨーロッパの植民地主義国の入植が始まった。それ以来、黒人差別が人々の生活のなかに根深くはびこるようになる。

1948年、白人労働者の保護を訴えた国民党が政権を握り、それ以来、オランダ語から派生した現地公用語のアフリカーンス語で「人種隔離」を意味する「アパルトヘイト」が法制として確立した。黒人は白人の居住区とされた地域では暮らせなくなり、それまで住んでいた家や地元のコミュニティを離れることに。低賃金の仕事にしか就けず、学校や病院なども白人向けのものに比べてずっと貧相だった。さらに、政府は黒人たちの所在を常に管理しようとし、どこへ行くにも身分証の携行を義務付ける「パス法」が制定された。

こうした大小さまざまなアパルトヘイト制により、黒人をはじめとする有色人種の暮らしが厳しくなるにつれて、「なんとか自分たちの権利を取り戻したい」と考える人々が立ち上がった。ネルソン・マンデラやオリバー・タンボ、ウォルター・シスルといった若き活動家は、新しい抵抗運動を提唱する団体に所属し、非暴力的主義のもと数々の運動を展開。人々は身分証を燃やしたり、アパルトヘイト法のルールをわざと破ったりして、人種隔離政策に反対した。

反対運動を行う人々は、バスやトイレやレストランで「白人専用」の看板を目にすると、ちょうどアメリカの公民権運動家たちがやったように、あえて無視するようにした。そうして多くの活動家が逮捕されれば、やがて収監所もいっぱいになり、政府も方針を転換せざるを得なくなるのではないかと考えたのだ。

政府は、こうしたアパルトヘイト反対運動を徹底的に封じ込めようとした。拘置所には限界を超えて人を詰め込み、抵抗活動が組織しづらくなるように、ネルソン・マンデラをはじめとする活動家のリーダーを長年にわたり投獄した。街でデモが行われようものなら、警察が容赦なく市民を攻撃した。

1960年のこと。数千人の人々がパス法への反対を訴えるため、逮捕されるのを覚悟のうえで、身分証を持たずにヨハネスブルグ近郊シャープビルの警察署前に集まり、平和的に抗議を始めた。だが、活動家たちを前に警察は砲撃を開始。逃げようとする人をわざわざ追いかけてまで攻撃した。これにより多くの犠牲者が出たほか、数日のうちに国全体で数万人が逮捕されてしまった。

この「シャープビル虐殺事件」によって、アパルトヘイト反対運動家たちはどこかに身を隠すか国外退去を余儀なくされたが、同時に南アフリカの惨状に対して世界の目を覚ますことにもなった。さまざまな国で抗議活動が生まれ、南アフリカで息を殺している人々の心の炎が消えないように、エールを送った。

アパルトヘイト反対運動を支持するため、世界中の人々が南アフリカ製の製品を買うのをやめた。こうした不買運動は、「南アフリカ政府の人種差別政策は到底受け入れられるものではない」というメッセージを示す、最も手軽な方法だったのだ。

また、抗議活動家たちは、白人だけで編成された南アフリカのスポーツチームに対しても、強硬な姿勢で対峙した。イギリスでは、何千キロと遠く離れた南アフリカの地で苦しむ人々の人権保護を訴え、若者が一群となってラグビーやクリケットの試合を妨害した。ある日の早朝、南アフリカチームの選手らが宿泊先のホテルの部屋でシューズの紐を結び、さあ試合に向かおうとしたところ、どう頑張ってもドアが開かない。なんと、ホテルに忍び込んだ抵抗活動家の少女が、選手たちが起き出す前に、部屋の鍵を接着剤で固めてしまったのだった。

また別の日に、選手がバスで移動する際、じつは抵抗活動家が運転手のふりをして先に乗り込んでいた、ということもあった。バスはそのまま何食わぬ顔で走り、選手たちは試合開始時刻にピッチに立つどころか、会場から遠く離れた辺鄙な場所に置き去りにされてしまった。こんな風に、活動家らはあらゆる手を使って試合をやめさせようとした。ときには、「きれいに芝生が生えそろったピッチにモグラの群れを放ち、地面をモグラ塚ででこぼこにしてやる」といった脅しをかけることもあった。

一方、南アフリカ国内でも新しい活動が興り始めていた。その1つである「黒人意識運動」は、基本的人権の保護にとどまらず、黒人という人種としての誇りや、文化の価値に重きを置いて、人々の心を動かしていった。

この思想は、1976年に学生によって展開された「ソウェト蜂起」のなかにも息づいていた。当時、南アフリカ政府は、学校の授業における使用言語を地域の人々の母語ではなく、オランダ系入植者に起源を持つアフリカーンス語に統一すると決定。子どもたちは学校に行くと、毎朝アフリカーンス語で讃美歌『主の祈り』を歌うことになっていた。だが、蜂起の日の朝、彼らはアフリカ土着のコサ語で『神よ、アフリカに祝福を』という聖歌を歌い、教師らを仰天させた。これは子どもたちが自発的にやったことで、彼らの両親も計画について何も知らなかったという。そして、子どもたちは教室を飛び出し、ほかの学校の生徒にも声をかけ、みんなで授業をボイコットした。

この蜂起に参加した学生は数千人以上。だが、相手が子どもであっても、警察は容赦なく武器を向けた。この残虐非道な武力行使は世界中の怒りと悲しみを呼び、各国政府はアパルトヘイト体制への断固たる反対を表明。南アフリカへの武器の輸出も、資金提供もやめ、南アフリカ政府が重要な国際会議のテーブルに着くことも拒否したのだった。

明日、みんなで
政府を倒しましょう
うん、そうしよう

1980年代に入り、アパルトヘイト反対運動はかれこれ30年以上も続いていた。世界中からの支援の気運も最高潮に達していて、変化がもうすぐそこまで迫っているのだ、という確かな雰囲気があった。いよいよ、アパルトヘイトの終焉に向けて準備するときがやって来たのだ。

かつて追放された抵抗運動家たちも最後の一押しをするべく、何とか活動の中心に戻ろうと考えた。だが、表立って行動すればまたすぐに逮捕されてしまうため、身分を偽り、隠れ家を渡り歩かなくてはならなかった。協力してくれたのはアパルトヘイト廃止に賛同する歯科医師や演劇関係者で、カツラや差し歯、付け鼻に特殊な衣装などが彼らのために用意された。また、ヨーロッパ人の活動家らが南アフリカに越してきて住居を構え、使用人として黒人の庭師や料理人を雇い入れるふりをして、こっそり抵抗運動家をかくまうこともあった。彼らはそうした家を拠点に、アパルトヘイト体制を終わらせる作戦を日々話し合ったのだった。

こうして彼らは策を練り上げ、政府があくまでも市民全体のために尽くさないのであれば、いっそ国家を統治不能にしてやろうと腹をくくった。そして、全国各地で抵抗運動家が通りという通りを埋め尽くした。警察も彼らを迎え撃ち、抗議の参加者を特定するために紫色の染料を噴射したが、運動家たちにしてみれば紫色に染まることはむしろ名誉の証だった。やがて、「紫こそが南アフリカを制するんだ！」が彼らの合言葉になった。

［マンデラを解放せよ］

このころには、ネルソン・マンデラの獄中生活は27年間にもなっていた。マンデラの献身的な活動は世界中に知れ渡り、南アフリカから遠く離れた国々でも、彼の名前を冠した通りや建物が誕生していた。1990年には、反アパルトヘイト運動に参加する人は2千9百万人を超え、国内外からの非難の声はもはや抑えきれなかった。ついに時の南アフリカ大統領も観念し、アパルトヘイト制の廃止に同意、マンデラも釈放された。それから4年後、初めて黒人を含む全人種による選挙が実施され、マンデラは大統領になったのだった。

抗議の方法

スポーツ

スポーツには、大勢の人を集める力がある。テレビカメラも入るので、そこで起きたことは全国、あるいは世界中に中継もされる。スタンドからでも、試合のピッチ上でも、活動家がひとたび行動を起こせば、その場に居合わせた観客は証言者になり、あるいは自らも参加者になってくれるかもしれない。

表彰台での抗議　1968年

1968年のメキシコ五輪でのこと。オリンピックは人権について訴える場になり得る、と考えた選手たちがいた。陸上男子200mでそれぞれ金・銅メダルを獲ったトミー・スミスとジョン・カルロスは、表彰台に上がると、黒い手袋をはめた拳を突き上げる「ブラックパワー・サリュート」[注]を行った。足元には靴はなく黒い靴下だけを履いており、アメリカで貧困にあえぐ黒人の苦境を表現していた。観客からはブーイングが飛び、物まで投げつけられたが、2人の象徴的な姿はテレビを通して世界中に放映され、鮮烈な印象とともに歴史に刻まれることになった。ジョン・カルロスは「俺たちの姿を見て、多くの人がインスピレーションを受けてくれた。それこそ、自分が生まれた意味だと思う」と語っている。

[注] 人種差別に抗議し、黒人の力を示威する行為のこと。

女性をスタジアムへ　1990年代〜

イランでは40年間にわたり、女性がサッカーの試合を観戦するのは禁止されていた。1997年には、5千人もの女性がサッカーの試合会場になだれ込み、テレビカメラの前で叫んだり横断幕を掲げたりしながら、逮捕されないように集団で抗議活動を行った。もっと最近だと、数人の女性たちが男装して会場に忍び込み、なかに入ってから性別を明かして見せる、という例もあった。こうした数十年におよぶ働きかけを経て、ついに2019年、選ばれた女性100人が初めて試合会場での観戦を許された。いつか、すべての女性が制限なくスタジアムで観戦できる日が来るようにと、抗議活動は今もなお続いている。

プレーお断り　1960年代〜90年代

南アフリカのアパルトヘイト制へ世界の批判が高まるにつれ、各国のスポーツチームが南アフリカとの対戦を拒否するようになった。たとえば、卓球やクリケット、ラグビー、チェスなどでは相手国チームの選手が試合を欠席。もはや大会自体が成り立たないので、運営側も南アフリカチームの参加を禁止する事態が続出し、オリンピックもその例外ではなかった。たとえ参加できたとしても、南アフリカチームのスコアは公式記録に残せない、ということもあった。こうしたスポーツ界の動きも、アパルトヘイトの廃止に向けて国際的な団結を示す一例となった。

暴君よ、戦慄せよ　1970年代〜80年代

ウルグアイが軍事政権下にあったとき、政府に対して大々的に抗議活動をすれば即牢獄行きだった。そこで、人々はサッカーの試合を通して、自分たちの感情を表現する方法を編み出していく。国歌斉唱の際、観客は歌の大部分を適当に流すように散漫に歌い、「暴君よ、戦慄せよ」という歌詞のところで、一斉に力いっぱい声を合わせるのだ。これには、政府もどう対処すればいいかわからなかった。歌詞のその部分だけ歌うのを禁止するのはあまりにも体裁が悪いし、かといって、スタジアムに集まった人を片っ端から処罰することもできなかった。こうしてみんなで心をひとつにして抵抗の意を示すことで、人々は希望を繋ぎ続けた。そして、最終的に独裁政権は終わりを迎えたのだった。

レジスタンス・ライダー　1940年代

ナチスの影響下にあったイタリアで、有名な自転車競技選手だったジーノ・バルタリは、ユダヤ人の国外逃亡を支援するため、偽装された身分証や資金をこっそり運ぶのに尽力した。彼は、書類を自転車のフレームやハンドルの内部に隠し、トレーニングのふりをして山や街をいくつも越え、長距離を走った。警察に自転車を検閲されそうになると、「下手に触ったら、複雑な空気力学の機構がめちゃくちゃになる」とけん制したらしい。バルタリは非常に人気が高く、イタリアのスポーツ界にとって欠かせない人物だったため、警察もさすがに彼を逮捕しようとはしなかった。こうして、バルタリの勇気ある行動によって800人以上のユダヤ人が救われたが、彼自身は決してそれを吹聴することはなかった。「本当のメダルはジャケットを飾る装飾品なんかじゃない。その人の魂に輝くものさ」とバルタリは語った。

片膝をつく　2016年

アメリカ・ナショナル・フットボールリーグ（NFL）に所属していたコリン・キャパニックは、2016年の試合で国歌斉唱を拒否した。「黒人をはじめ有色人種の差別がなくならない国の旗に向かって、起立して敬意を示すなんてごめんだ」と語り、コリンが国歌を歌わずに地面に片膝をついて抗議の意を表明すると、大勢のファンが彼をなじった。だが、彼に触発されたほかの選手たちが、片膝をつく抗議行動を継承していく。そして、2020年に黒人のジョージ・フロイドが白人警察官に殺された事件を受けて世界中でBLM運動が巻き起こったときには、片膝をつくポーズがまさに抗議のシンボルになった。最近では、スポーツ選手が試合参加をボイコットする例も相次いでいる。

現実的であれ
不可能を要求せよ

フランスは退屈だ

学生たちの抗議運動　フランス　1968年5月

1960年代、世界のあちこちではさまざまな抗議運動が巻き起こっていた。テレビが登場し、ニュースではアメリカでの公民権運動やベトナム戦争反対運動などが報じられていた。だが、フランスの若者たちは、それらを自分たちからは遠いところで起きている出来事だと感じていた。自国フランスの大統領の映像を初めてテレビで見たときも、その姿はひどく時代遅れに映り、どこか縁遠い存在のように思えたのだった。

当時のフランスの大学は、学びの場というよりも規則に縛られた場だった。学生には小さな部屋が充てがわれ、そこでは政治について議論することも、恋人を泊めることも、なんと家具を変えることさえ許されない。教授たちからも大人扱いされず、見下されるだけ。彼らは学生とまともに会話を持とうとせず、教職員専用の部屋にさっさと引き上げ、内輪で盛り上がる有り様だった。そんな環境下にあった若者は、とにかく自由が欲しくて、自分たちの声を聞いてほしくて、居ても立ってもいられなくなった。

やがて、パリ・ナンテール大学の学生らの間に「アンラジェ（怒れる人）」と呼ばれるグループが出現し、大学の授業を妨害し始めた。彼らは友人たちに、「息の詰まる教室のなかにいるよりも日差しの下に出よう」と呼びかけた。これに数百人の学生が賛同し、みんなで大学の教職員室になだれ込むと、教授陣を追い出し立てこもった。こうして、大学は学生に占拠され、学生運動がいよいよ本格化する。学生が学校の規則を破る、という風潮はほかの大学にも波及し、反乱の気運がフランス全体に広がっていった。

長い間、低賃金に苦しんでいた工場労働者も、こうした学生の運動を見て、自分たちも時流に乗ろうとストライキを開始した。ほかにもさまざまな人が呼応し、2カ月もすると街には1千万人もの抗議者が溢れるようになる。彼らは通りへ繰り出し、劇場を占拠し、仕事や学校に行かず、新しい生き方を謳歌するようになった。抗議運動をする者は、「芸術工場」と称する拠点で革命を訴える色鮮やかなポスターを印刷してはあちこちに貼っていき、スローガンで彩られたパリの街はまるでギャラリーのようになった。

ON THE STREETS [政治はストリートで起きている]

BE REALISTIC! DEMAND THE IMPOSSIBLE

抵抗運動に参加した労働者の数はあまりにも多く、やがてフランス全体が機能停止に陥った。車で通勤する人がいなくなったので通りには車の姿は見えず、かわりに多くの人が思い思いに辺りをぶらつき、言葉を交わし合い、見知らぬ人同士でも親交を深める様子が見られた。このまま労働者に仕事を放棄されれば、ごみの回収や店舗の商品補充などが滞ってしまう――そう危惧した政府は、ついに大幅な賃上げを約束したのだった。

こうした抗議運動の勢いは非常に強く、政権はほとんど統制力を失い、学生は自分たちの望みを何でも要求できるようになった。だが、重要なのはそこではない。彼らは、政治が市民の声を直接聞くものではなく、どの政治家を支持するのかを迫るやり方に嫌気がさし、外から強制されたルールなど守らなくてよい生き方を模索していた。それがこの革命に結実したのだ。秋には学生たちは大学に戻ったが、フランスという国の空気は完全に変わった。より自由で、活気に溢れ、人々の中にも反骨精神が根付いた。フランスは、1人ひとりが自分を表現でき、自分の意見が尊重されると期待できる場所になったのだ。

木を抱く人たち

チプコ運動　インド　1970年代

森に覆われたヒマラヤ山脈には小さな村がいくつもあり、そこには何千年も前から人が暮らしていた。彼らにとって森の木は、生態系がきちんと機能するのに欠かせない存在だった。葉は空気をきれいにしてくれるし、幹や枝は薪や農具の材料になるほか、野生の動物のすみかにもなる。また、木の根が地中深くに伸びているおかげで、大地をしっかりと摑んでいてくれるのだった。

ところが、企業がこれに目を付け、木を伐採すれば金になると考えたところから事態は変わっていく。あるとき、洪水にともなって山の斜面が崩落し、家や橋や道路もろとも土砂に飲み込まれてしまったことがあった。山村に暮らす人々は、これまでその根で山の地面を支えてくれていた木が切られたからだ、と気付いていた。何とかして、これ以上木が伐採されていくのを止めなくては——。

彼らは州首相に訴えようとしたが、状況は何も変わらなかった。山林から遠く離れた市街地に置かれた州政府からは、単に村人たちが感傷的になって騒いでいるだけだろう、と思われたのだ。「木なんかよりも金のほうがよっぽど大事に決まっているじゃないか！」——そう考えた州首相は、山村の人々の声を無視し、スポーツ用品メーカーにテニスのラケット用材として材木の利用権を目一杯割り当ててしまった。

だが、伐採業者がやって来てみると、森には村人たちが先に到着していた。彼らは大声を上げながら太鼓を打ち鳴らして威嚇したので、怖くなった業者らはチェーンソーを持って逃げだした。

州首相は、スポーツ用品メーカーに、かわりとなる森の利用権を割り当てようとした。だが次の候補となったその森に住んでいた人々もまた、抵抗を辞さない構えを見せた。

村人たちは6カ月もの間、昼夜を通して交代で森を見張った。こうなると、今度も伐採業者は引き上げざるをえなかった。

とはいえ、スポーツ用品メーカーは材木が欲しいし、州政府のほうも金が欲しい。そこで、首相は地図を広げ、テニスラケットにちょうどいい、背の高い木が生い茂っている3番目の候補の森に目星をつけた。

ある日、やって来た伐採業者の姿を、その森に暮らす少女の目が捉えた。少女は一目散に村へ駆け戻り、家事にいそしむ女性たちに自分が見たものを話した。村の女性たちは、少女に昔話を語り聞かせた。「昔、マハラジャ（王）が新しい宮殿を建てるために、兵士に命じて、聖なる森の木を切らせようとした。すると、それを見た若い女性が木の幹に抱き着いて、彼らを止めようとしたの。同じように木を愛する人が何百人と森へ集まってきて、みんなで木を抱きしめて守ったそうよ」

村人たちは考えた。——さて、今回もこの昔話と同じ作戦が使えるだろうか。さすがの伐採業者も、人がしがみつく木をもろとも切ろうとはしないはず……。

そこで、女性たちは夜通し森の木に抱き着いて守り抜き、この運動は、ヒンディー語で「くっついて離れない、しがみつく」を意味する「チプコ」と呼ばれるようになった。彼女らは木にしがみついたことで、同時に「非暴力をもって森を守る」という信念も守り抜いた。この勇気ある抗議運動の様子は近隣の村にも伝わり、やがてもっと多くの人が合流して、一緒に木を抱くようになる。そして、ついに伐採業者を諦めさせたのだった。

事態は州首相の耳にも届いた。このままでは、テニスラケット用の材木は切り出せないままだろう——だが、もしかしたらそれほど重要なことでもないのかもしれない。そう思い直した政府は、またヒマラヤ山脈に緑が戻って来るまで、商業伐採を当面禁止としたのだった。

手を繋いで基地を囲め

グリーナム・コモン平和キャンプ　イギリス　1981年〜2000年

冷戦真っ只中のころ、世界はソビエト連邦率いる共産主義と、アメリカを中心とする資本主義に分かれてイデオロギーの衝突が起きていた。両陣営は核兵器を拡充していき、イギリスもその例に漏れず、自国に配備するミサイルの数を増やそうと考えた。

ウェールズ地方に暮らす女性たちは、これに危機感を覚えた。もし核戦争が勃発すれば、人類には壊滅的な被害が及ぶ。誰かが抗議運動を指揮して、事態をうまくまとめてくれないかと期待するも、一向にそのような動きは生まれない。これはもう、自分たちで何とかするしかないと考えた。

ほとんどの女性は、抗議運動をするのはこれが初めてだった。どうしていいかはわからないが、とにかく何かをしなければ——。そこで、まずはグループの名前を「Women for Life on Earth（WFLOE）」と定め、チラシを作った。そして、核ミサイルの配備拠点であるグリーナム・コモン空軍基地まで、100キロ以上に及ぶ道のりを行進しようという具体的な計画を立てた。そうすれば、きっと政府の注意を引くことができるはず、と。

グリーナムまで歩いていくなんて、彼女たちにとってこれ以上ないほどの冒険だった。だが、いくら歩けども世間はまったく注目してくれない。ニュースを賑わすのは、パンダの赤ちゃんがもうすぐ生まれそう、などという話題ばかり。もっと活動のレベルを上げなくては、と考えた女性たちは、かつて女性参政権運動で過激な抗議を展開したサフラジェット（p.68）にヒントを得て、基地に着いたらフェンスに自分の身体を括りつけようと決めた。

こうなると、さすがに世間も反応し始める。警察がやって来て、女性たちがフェンスに巻き付けた鎖を切断していくが、その間にまた別の女性が穴を埋めた。ほかのメンバーは、フェンスに自身を拘束した女性のそばで寝泊まりし、テントを張ったり火を熾したりして、凍えないようにサポートした。この話題が全国に広まるにつれて、気づけば基地の周りはテントでいっぱいになった。新聞の一面からはパンダの話題は消え去り、さらに多くの賛同者がグリーナムに駆け付けた。そして翌年の冬には、集まった抗議者が手を繋げば基地を取り囲めるほどに、その規模は大きくなっていた。

基地のまわりにキャンプを作ったことで、女性たちはほぼ毎日のように抗議運動ができるようになった。そして、ミサイルを囲むフェンスを切ったり、有刺鉄線に古びたカーペットをかぶせて安全に乗り越えたりと、基地へと入るさまざまな方法を編み出していった。基地内に潜り込むと、ミサイル発射台の上でダンスをしたり、発射できないように排気管にじゃがいもを詰め込んだり。キャンプに参加する女性たちは、こうした迷惑行為を繰り広げることによって、あの手この手で政府を妨害したのだった。

1987年、米ソ間で中距離核戦力（INF）全廃条約が調印されて軍縮が進み、1991年にはグリーナム・コモン空軍基地に配備されていた最後のミサイルが撤去される。抗議活動の勝利だった。これでみんなおとなしく家へ帰るかと思われたが、そこはやはり周囲の思惑どおりに動く女性たちではない。何人かはのちに気鋭の政治家やジャーナリストや教授になって、世に出て活躍した人もいた。また、その後9年間も引き続きキャンプに残って、平和活動を展開した人もいた。そして、基地があった場所は公共の公園となり、人々が犬の散歩をしたり、子どもたちが遊んだりする場として今も残っている。

キャンプ

テントを張るもよし、木の上にデッキを作るもよし。キャンプなら、抗議したい対象や守りたいもののそばで、いつでも活動を展開することができる。みんなでキャンプに参加すれば、そこに抗議活動家のコミュニティが生まれ、自分たちの信念をすぐに行動に移すことができる。

プレオラの森を守る人々　1978年

ニュージーランドの自然保護活動家たちは、プレオラ森林公園にある樹齢1000年ほどのマキ科の樹木を伐採から守るべく立ち上がった。署名活動を行ったり、科学的な調査レポートを出したりしても効果はなかったが、彼らが木に登って枝葉の間にデッキを作り、そこで座り込みを始めたことで、やっと伐採の手が止まる。活動家らは4日間にわたりそこで過ごし、参った政府はついに伐採を恒久的に停止することに合意。このプレオラ森林公園での抗議活動は世界中で森林保護の活動をする人々に影響を与え、各地で木の上での座り込みが展開されるようになった。

「ルナ」と呼ばれたレッドウッドの巨樹　1997年～99年

カリフォルニア州ハンボルト郡には、樹齢1000年のレッドウッド（アメリカスギ、セコイア）の木があった。この木が伐採されるという話を聞き、当時23歳だったジュリア・バタフライ・ヒルは抗議しようと、木に登って座り込みを開始。「ルナ」と名付けたこの木の上で過ごした期間はなんと738日（じつに2年以上！）にも及び、彼女は高さ55メートルの場所に小さなデッキを作って生活したのだった。活動を支援する人々は、地上から交代で食べ物や物資を届けた。この活動が功を奏し、「ルナ」とその周辺の環境は伐採から守られたのだった。

気候キャンプ　2006年～10年

2006年から5年間、毎年夏になると、ロンドン周辺の空港や発電所の近くではテントが張られ、二酸化炭素排出による気候変動に抗議する人々が大規模な活動を展開した。キャンプでは太陽光発電や風力発電が活用され、ペダル式の洗濯機や音響システムなども使われていた。人々はこうして、抗議活動を行うコミュニティを形成しながら、同時に低炭素社会に適応した生活を実践していたのだった。

ホワイトハウス前の平和キャンプ　1981年〜2016年

平和主義者のウィリアム・トーマスは、アメリカの核兵器計画に抗議するため、ホワイトハウス前にテントを張って27年間座り込みを続けた。その過程で、1984年にはエレン・ベンジャミンが活動に加わり、2人は恋に落ちて結婚。飼い犬のソフィーとともに、ずっとその場所で暮らし続けた。ほかにも、友人コニーが参加したり、「ウォール街を占拠せよ」（右下）や「プラウシェア運動」[注]などほかの抗議団体から支援を受けたりしながら活動を継続。彼らは社会に大きな影響を与え、連邦議会でも核軍縮が議論されるようになり、反戦運動のシンボルとして存在感を示し続けた。

[注] 非暴力によって核廃絶を訴える市民による、直接行動型の抗議運動のこと。

ウォール街を占拠せよ　2011年

リーマン・ショックに端を発する金融危機で、政府が市民よりも銀行の救済を優先したため、社会経済的な不平等への抗議運動が世界中で巻き起こった。その震源地だったのが、ニューヨークの金融街の中心ウォール街。一夜にして立ち上がったキャンプが街を占拠し、そこでは「私たちは99％だ」[注]というスローガンが掲げられた。1カ月もすると、占拠運動は82カ国951の街に拡大する。キャンプでは住民参加型の民主制が実践され、人々はアイデアを語り合い、資本主義に裏切られた世代が声を大にして思いを訴える場所となった。

[注] 上位1％の富裕層に富が集中している状況を批判するメッセージ。

アルカトラズ島の占拠　1969年〜71年

米サンフランシスコ湾に浮かぶアルカトラズ島にはかつて刑務所があったが、そこが閉鎖されると跡地に先住民たちが入り込んだ。彼らは、かつて諸部族と連邦政府との間で結ばれたフォート・ララミー条約に基づき、不使用となった土地を返還するよう求めたのだ。島には数家族が住みつき、テントや刑務所跡で18カ月もの間暮らした。この占拠運動がきっかけとなり、先住民の権利を尊重する法律が新たに制定され、しだいにアメリカ各地で先住民へ土地が返還されていった。

貧しい人々のキャンプ　1967年〜68年

公民権運動でまず勝利を収めたマーティン・ルーサー・キング・ジュニアは、次はアメリカの貧しい人々に食べ物や住居を保障することを目指したいと考えた。これに反応して3千人の抗議活動家がワシントンD.C.に集まり、ホワイトハウス近くのナショナル・モールで6カ月にわたりキャンプを張って暮らす。仮設の家には電源や水道も備わっていて、彼らはそこを「復活の街」と呼んだ。政治家たちは毎日仕事へ行く際にキャンプの姿を目にするので、しだいにその存在を無視できなくなったのだった。

自由は、
異論を持つ者たちの
ためにある

市民の力による革命

「連帯」せよ！

ソリダルノシチ運動　ポーランド　1980年〜89年

第二次世界大戦後、東欧諸国では共産主義の新しい政権が樹立された。法と秩序の維持を第一とするこの新しい政治体制（「戦後レジーム」ともいう）のもとでは、市民生活に対する厳しい制約と介入がなされ、何をするにもコントロールと監視の目がつきまとった。もちろん抗議運動も公には認められていなかったが、人々は抵抗の意を示す創造的な方法を編み出していった。

テレビのニュース番組から流れてくるのは、体制がいかに素晴らしいか、労働者がどれほど幸せに、賃金にも満足して働いているか、また市民がいかに憂いなく生活しているかというプロパガンダばかり。「連帯」（ポーランド語では「ソリダルノシチ」）と呼ばれる自主管理労組に属する人々はしだいに嫌気がさして、テレビのスイッチを切ってしまった。だが、みんなが番組を観ていないということが政府にアピールできなければ、抗議としては意味がない。そこで、電源コードを引っこ抜き、外から見えるようにテレビを窓台に置くことにした。こうすれば、ほかの人も触発されてテレビを観なくなり、嘘にまみれた政府の声を聞く者もいなくなるだろうと考えたのだ。

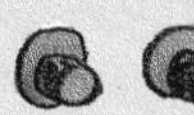

「連帯」のメンバーは、「自分たちは正しいことをしている」という信念を持って、テレビを窓台に置いたまま家のなかで壁紙を見つめてじっとしていた。――だが、これだけだとどうしても退屈だった。いっそ外に出て、仲間と一緒に過ごしたほうがいい。やがて、夜のニュースの時間帯には、テレビを乗せた台車を押しながら通りをぶらつく人が街にあふれるようになった。これを見た政府は、せっかく練りに練った嘘のニュースが無駄になると憤慨し、夜7時以降の外出禁止令を出す。ところが人々はまったく意に介さず、同じ行動を夕方5時のニュースの時間帯に繰り上げてやるだけだった。

また、「連帯」の人々は別のアイデアも思いついた——そうだ、自分たちでニュースを流してしまおう、と。こうしてラジオ「S」（Radio Solidarity）と呼ばれる地下ラジオ局が誕生する。これは、「連帯」が匿名性を保ちながら、政府が語ろうとしない真実を語り、抵抗運動の指揮を執るための重要なツールになった。さらに、人々はラジオを通して、「みんなで団結して体制に抗おう」と気持ちをひとつにすることもできた。ラジオのホスト役が番組の途中で、家のあかりを点滅させるよう視聴者に呼びかけると、ポーランドじゅうの民家がチカチカと合図を送り合う。窓から見えるその景色が、市民に勇気を与えたのだった。

支持者の多さを目の当たりにした「連帯」メンバーは、何かもっと大きなことができないかと考えるようになる。だが、抗議運動らしきものは軒並み政府によって弾圧される状況下のため、なかなか難しい。それなら、抗議をするのではなく、いっそ逆のことをしてみたらどうだろうか——。

そのころ政府は、現体制がいかにポーランドを立派に統治しているかを世界にアピールするために、大規模な記念行事を開催しようと計画していた。そしてこれが、抗議運動をする者たちにとって絶好の機会になった。行事の当日、会場には、頭からつま先まで体制のシンボルカラーである赤色の服に身を包んだ人が何千人と詰めかけた。赤色の服を持っていない人はバゲットを買って来て、ケチャップを塗りたくり旗のように振り回した。その異様な雰囲気を見るだけで、彼らがこの行事を愚弄しに来ているというのは明らかだった。だが、かといって警察のほうもお手上げである。建て前としては政府を熱心に支持しているように見える民衆を、逮捕するわけにはいかない。

それから10年もの間、こうした抵抗運動が数えきれないほど繰り返され、体制を徐々に弱体化させていった。1989年には、ついに第二次世界大戦後初の自由選挙が行われる。そして、「連帯」を率いたレフ・ワレサがポーランド大統領に選出され、共産主義体制は平和的に終焉を迎えたのだった。

我々の尊厳は譲れない

ピープル・パワー革命　フィリピン　1986年

フィリピンは1986年まで、フェルディナンド・マルコス大統領による独裁政権下に20年以上も置かれていた。大統領自身は国政よりも自分の宣伝映画の制作に一生懸命なようだったし、夫人のイメルダは国の予算をつぎこんで豪奢な建造物を建て、靴やバッグを買い漁るなど派手に散財していた。

独裁者側が裕福になる一方で、市井の人々は貧しくなっていった。彼らは何とかしてマルコスを退陣させようとしたが、座り込みも、ストライキも、デモも、一向に効果がない。抵抗運動を成功させるためには、選挙でマルコスの対抗馬として戦い、人民の力を取り戻してくれるリーダーが必要だった。そこで名乗りを上げたのが、ベニグノ・アキノ・ジュニアである。ベニグノは政治家として人気があり、マルコスに勝てる見込みも十分にあった。だが、何とも恐ろしいことに、彼は選挙の前に暗殺されてしまったのだ。

ベニグノの妻、コラソン・アキノ（通称コリー）は悲嘆に暮れるが、夫の葬列に200万人もの市民が参加したのを見て、人々が力を合わせれば大きなうねりを生むことができる、と考えた。そして同時に、「自分がこの国をひとつにまとめて立ち上がらなくては」と自覚したのだった。

フィリピンの人民のために、と覚悟を決めたコリーの情熱は周囲にも伝播していく。まもなく、社会のあらゆるところでマルコス大統領への反対運動が起こるようになった。ベニグノの葬儀の際には、参列者たちが揃って黄色いリボンを身につけたため、黄色がそのまま抵抗のシンボルカラーになった。ビジネス街では毎週、黄色い電話帳を細かく刻んだ紙吹雪をオフィスの窓からまき散らすデモが行われた。農村からも大勢の村人が街へとやって来て、農業省の前で何日間も座り込みを行った。また、50万人もの市民が、民主化への決意の強さを示すべく、アキノ夫妻の自宅からベニグノが暗殺された現場である空港まで、フルマラソンの約3倍近くの距離を走ったこともあった。

マルコスは慌てた。現実がよくわかっていない彼は、自分の独裁が依然として国民に支持されていることを証明しようと、選挙を実施した。ところが、蓋を開けてみると、100万人もの投票者がコリー・アキノを大統領に推す結果に。いよいよ追い詰められたマルコスは、選挙管理人たちに命じて、コリーが獲得した票を自分の票に書き換えさせようとした。しかし、選挙管理人らは従わず、マルコスに背を向けたのだった。

こうして、先の選挙が反乱の狼煙となり、ピープル・パワー革命が幕を開けた。マルコスを恐れる必要がなくなった数百人の軍人たちも反旗を翻した。かつては銃をちらつかせながら街を闊歩し、政権への服従を強いていた彼らだが、そうするかわりに駐屯地のなかに引きこもった。すると、そこへ大勢の市民が支援に駆け付け、食べ物を届けたり歌を歌ったりして励ました。立てこもる軍人らを守るため、丸太や、道に停めてあったバスを持ってきてバリケードを作ることもあった。

マルコスが新たに軍を送って革命勢力を弾圧しようとすると、勇敢な抗議活動家たちが進み出て、戦車の操縦士に花やチョコレートやハンバーガーなどを差し出した。軍のほうも市民の優しさに感銘を受け、革命側につくことにした。こうして誰も傷つくことなく、コリーはフィリピンの新たなリーダーとして、人々に勝利を宣言したのだった。

マルコス夫妻はハワイに亡命した。彼らは決して自分たちの敗北を認めようとはしなかったが、ついにフィリピンへ戻ることはなかった。

俺達じゃなければ、誰がやる？

天安門事件　中国　1989年

中国は27年間、毛沢東の独裁のもとにあった。毛が実権を握っている間、文化大革命による弾圧や飢饉によって多くの命が失われた。毛が1976年に亡くなると、人々は安堵の息をつく。これでようやく、あちこちの壁に掲げられていた毛の巨大なポスターも下ろされ、中国はもっと生きやすい国になるだろう、と——。

若い世代は、新しい考え方と将来への希望に満ちていた。学生のグループが自分たちの意見を政府に提言しようと、政府の議場である人民大会堂の扉を何度も叩いた。しかし、まったく取り合ってもらえない。政権側は彼らと対話の場を持とうとするどころか、機関紙『人民日報』の一面に記事を掲載し、「学生たちは混乱をもたらす反乱分子であり、中国にとって危険な敵である」と述べたのだった。

政府が書き立てた嘘を読んだ学生たちは、つとめて平和に北京の中心にある天安門広場まで行進した。警察もやって来たが、微笑みを浮かべ、歌を歌いながら集まっている姿を見て、どうも政府が言うような暴徒とは様子がちがうようだ、と困惑した。結局、警察は去り、学生らは残った。そして、彼らは広場にキャンプを張った。

天安門広場に集まる学生の数は日を追うごとに増えていったが、政府は依然として無視し続けた。それなら、もっと過激なことをしなくてはならない。学生らはハンガーストライキを行い、政府が自分たちの要求を聞くまでは食べ物も口にしないし一歩も退かない、と頑張った。そんな彼らの様子をニュースで見て、中国じゅうの人々が心を動かされていく。

そのころ、ソ連の指導者だったミハイル・ゴルバチョフが訪中を控えていた。中国政府は、中国共産党の権威を彼にアピールする必要があった。そのためには、ゴルバチョフの来訪までに、抜かりなく国内を整えておかなくてはならない。だが、天安門広場の学生たちは中国全土からの支持を集め、抗議の勢いは刻一刻と激しくなっていくばかり。ついにゴルバチョフが到着したときには、政権側は空港でさっさと握手を済ませ、なんとか彼を天安門広場から遠ざけようと腐心するしかなかったのだった。

面目失墜の中国政府は腹を立て、軍を送った。だが、軍が天安門広場に到着すると、学生らはにこやかに声をかけ、兵士に花を渡していく。学生から「軍はあくまでも『人民軍』だったはず」というメッセージを受けて、軍も「そうだ、自分たちは人民を守る存在なのだ！」と思い直す。そして、政府の命令を棄てて引き上げたのだった。

政府に追い打ちをかけるように、百万人ほどの北京の労働者も学生に賛同し、ストライキを起こした。これほど大規模な抗議運動は、中国共産党体制が始まって以来、前代未聞だった。天安門広場に集まった者たちは、これまでの抵抗勢力にはないきわめて民主的なやり方で抗議を続けていた。親切と思いやりの精神で自らを律し、毎晩投票により活動を継続するか解散するかを決めていく（毎回、継続が決議された）。北京市民は彼らを支持し、なんと泥棒までポスターを貼りだして、「抗議が続く間は盗みをしない」と宣言したほどだった。

共産党のリーダーたちには、彼らの考える統治とはまったく異なる中国の姿など耐えられなかった。そこで、新たに軍を配備し、体勢が整うと、「天安門広場を今夜一掃する」と宣言した。

辺りが暗くなるにつれて、学生たちにすっかり心を寄せていた北京市民が、彼らを守ろうと天安門広場に集まった。戦車が入れないように、みんなでバリケードを築こうともした。だが、新たに組織された軍はあまりにも強力だった。その夜、抗議に臨んだ多くの市民の命が失われたのだった。

2日後、空っぽになった広場を戦車が走行していると、どこからともなく1人の男性が落ち着いた様子で現れた。男性は買い物袋だけを提げた状態で、しばらくの間、戦車の行く手に立ちはだかる。戦車は男性を避けようとするが、そのたびに男性も動いてまた進路をふさいだ。この勇敢な最後の抗議の様子は中国の人々の苦闘の象徴となり、抗議活動を鮮烈に表わすイメージとして、世界中に広く知れわたった。

ここから出たい！　そっちへ行きたい！

ベルリンの壁崩壊　ドイツ　1989年

1961年の8月のある夜、東ドイツ政府はベルリンの街を分断する壁を建設し始めた。翌朝、人々が目覚めてみると、親族は離ればなれになり、友人とも再会できるのかわからない状態で、東西で別れて暮らさざるを得なくなった。東ドイツ政府は「壁は西側からの悪影響を避けるものだ」と言った。西側の人間は役に立たないことしかしない、金をはたいてジーンズを買い、テレビを観てばかりいる、と。だが実際は、壁は東ドイツの住民が流出しないように押しとどめるためのものだった。

少数ではあるが脱出を試みた勇敢な人々もいた。彼らは熱気球で飛行したり、ひそかにトンネルを掘ったり、ジップラインで滑空したり。使われていない電線の上を綱渡りで渡っていく曲芸師までいた！だが、こうした策は危険なものが多く、また成功できなければ刑務所での厳しい罰が待っていた。

東ドイツでは、人々が政府に見つからないように何かを計画するのはきわめて難しかった。壁にコントロールされているだけでなく、「シュタージ」と呼ばれる秘密警察があちこちにいたからだ。彼らは、市民がきちんとルールを守っているか、何か良からぬものを腹に抱えていないかを厳しく見張った。電話は傍聴され、足取りは追跡され、政府を皮肉る冗談を口にしただけで逮捕される可能性まであった。

シュタージはあらゆるところに潜んでいて、誰もが友人や家族のなかにスパイがいる、という状態だった。何気ない言動も漏れなく密告されてしまうので、みんな疑心暗鬼になっていく。抵抗活動をするためには、地下に潜って活動するしかなかった。抗議のアイデアは、ひそかに自主発行される新聞や、民家の裏庭で催される秘密のパーティーといった場で広まっていった。

1989年に行われたとある地方選挙でのこと。東ドイツ政府側はいつものように与党の勝利を宣言した。だがこのとき、投票所の外には抗議団体がいて、選挙にやって来た人々に実際はどこに投票したかの聞き取りを行っていた。それに沿って集計してみると、政府の発表した結果とはどうも合わない。こうして政府のごまかしが暴露され、東ドイツ市民らは壁を壊そうといっそう固く心に決めた。何千人という人がデモを始め、その波はまたたく間に広がり、毎日のように全国で抗議が起きるようになった。

抗議のニュースは世界中で報道され、東ドイツの指導者たちは辞任に追い込まれた。それまで想像さえできなかったことが、ついに実現したのだ。世界でも指折りの厳しさを誇る秘密警察を従えた政府の鼻を見事に明かして、人々は力を取り戻したのだった。

市民の心を何とか繋ぎ止めたい東ドイツ政府は、苦し紛れの策を出す。「きちんと東側へ戻ってくることを条件に、休日に西側への旅行を許可する」と。だが、もはや形無しだった。政府が用意した旅行台帳に申請などするはずもなく、何万人もの人が一気に壁へと押しかけた。検問所の審査官はその勢いに圧倒され、成す術もなく市民らを通過させるしかない。こうして、東西に分かれていた旧友たちは再会を喜び合い、みんなで壁を取り壊し、永久に葬り去った。

市民はシュタージの庁舎に詰めかけ、自分の情報が記された機密文書の開示を求めた。やがてシュタージに属する者たち自身も、国家保安省の壁のなかで厳重に管理してきた最高機密を盾に、政府を糾弾するようになっていった。

秘密警察がなくては、もはや政府は新しい波に抗うことができなかった。そして1年を待たず、東西の分断は解消され、ついにドイツはひとつの国家として再統一されたのだった。

アート

クリエイティビティは抵抗活動の肝であり、アーティストは既存の秩序を壊す新しい方法を常に編み出していく。パフォーマンスから絵画制作まで、ありとあらゆる手段を用いることで、アーティストたる抗議家たちは、世界の見方を変えるインスピレーションを与えてくれるのだ。

市民のためのプリント画　1400年代

印刷技術はその発明以来、抗議の手段として大いに有効活用された。絵は、文字が読めない大半の市民にもメッセージを届けることができる。そこで、権力者が横暴にふるまう様子を風刺する絵が多く描かれるようになった。荒々しいタッチのものもあればユーモアに満ちたものもあり、人々は印刷画の行商人から熱心に作品を買い求め、友人らにも配り歩くと、みんなで議論したのだった。

クリエイティブに物申す　1980年代〜

黒人フェミニスト芸術家のロレイン・オグラディは、展覧会になかなか招待されないことに憤っていた。そこで、自分で作り上げた「Mlle Bourgeoise Noire」[注]という架空のキャラクターに扮し、オリジナルのドレスを身に纏ってとある展覧会のオープニングに乱入すると、黒人アーティストへの差別を訴える詩を朗読したのだった。また、ちょうど同時期、「ゲリラ・ガールズ」という女性アーティスト抗議団体も活動をしていた。彼女らはゴリラのマスクで顔を隠しつつ、挑戦的なポスターで世にはびこる差別を批判する「クリエイティブな抗議」を行う。そのなかでも有名なのが、「女性がメトロポリタン美術館に入るためには、裸にならなくてはならないの？」と謳ったもの。同美術館では当時、女性アーティストの作品よりも、女性のヌードを描いた作品のほうが多く展示されていたことへの批判だった。

[注] 読みは「マドモワゼル・ブルジョワジー・ノワール」。中産階級（ミドルクラス）の黒人女性のことを意味している。

旗　1800年代〜

旗や横断幕は今日の抗議運動でもよく目にするが、これらが一般的になったのは19世紀と比較的最近のこと。労働組合が自分たちのシンボルを掲揚したのが始まりで、やがて労働者の権利を求める行進で多く使われるようになっていった。当時の旗は非常に美しくデザインされており、とくにイギリス人アーティストのジョージ・トゥティルが始めた絹の布地に描画する技法は、その後150年ほどにわたり広く使われた。もっと後になると、アーティストらによる抗議団体「Artists' Suffrage League（ASL）」が、サフラジェット（p.68）のデモのために手刺繍を施した旗を数百点ほど制作し、アート界に新しい風をもたらした。

ゲルニカ　1937年

スペインのゲルニカ村がナチスに爆撃されたことを受けて、芸術家パブロ・ピカソはその惨状を題材に絵画を制作し、パリ万博に出展した。その後作品は世界各国で展覧され、スペイン内戦でファシズムと戦う人々の苦闘を世に知らしめると、集められた収益金はスペイン共和国政府の救援資金となった。また、作品が長らく展示されていたニューヨーク近代美術館（MoMA）前では、反戦活動家たちが昼夜を問わず抗議運動を展開した。タペストリー版も国連安保理会議場前の廊下に飾られているが、2003年に、当時の米公務長官コリン・パウエルが、イラク攻撃の正当性を説明する記者会見を開いた際、ゲルニカが暗幕で覆い隠されるということがあった。これが大きな物議を醸し、戦争よりも平和を希求すべきという作品のメッセージを、あらためて世に強く印象づけることになった。

壁は生きている　1930年代

「ミューラルアート」とは、キャンバスではなく壁に絵を描くことをいい、アートギャラリーに許可を得ずとも人々に作品を見てもらえる方法として、多くのアーティストが採用している。政治壁画作家として有名だったのが、メキシコ人アーティストのディエゴ・リビエラだ。彼はメキシコの歴史を物語る壁画をいくつも制作し、文字が読めない市民もその内容を理解することができた。ディエゴは、労働者のための新しい世界をも描き出し、それは時の米大統領ルーズベルトにも影響を与え、一般市民の救済を志向するニューディール政策が始まったのだった。

ゲイ・ウエディング　1968年

日本人アーティスト草間彌生の作品の1つに、「アメリカで初の同性結婚式」という試みがある。草間自身がニューヨークに所有する物件を会場とし、彼女の複雑な絵画作品と同様、細部にわたり趣向が凝らされたものだった。衣装もオリジナルで、カップルは2人で1つのウエディングドレスを着る仕様だったらしい。「服は、人々を結び付けるものでなくては」と彼女は語っている。世間の目からは隠され、禁断とされていたものをアートで表現することで、草間は抗議活動を展開したのだった。

暗く濃い色を使って　1960年代

黒人アーティストのフェイス・リングゴールドは、フェミニストでもあり抗議活動家としての顔も持つ。その作風は、アートの素材に政治的な意味を持たせることを強く意識したものだ。彼女は60年代ごろ、西洋の白人アーティストの作品には明るい色彩のものが多く、光と闇のコントラストを際立たせるような構図ばかりだと気付く。白人アーティストが自分たちの肌色のトーンでのみ世界を捉えていることに抗議して、フェイスはアフリカン・アートによく見られるスタイルで、深く濃い色味のカラフルな色を用いて作品を制作するようになったのだった。

新しい世界は
可能である

行動を起こし、声を上げる

アクトアップ

エイズとの戦い　アメリカ　1980年代～90年代

1980年代、ゲイの人々の間では、多くの仲間が不可解な感染症に冒され命を落としていくという事象が起こっていた。だが、世間ではこれがまったく取沙汰されない。その病気は「エイズ（後天性免疫不全症候群、AIDS）」といい、アメリカ大統領は何年間もその名を公の場で口にしようとしなかった。ゲイとして生きるというだけでも世間からの風当たりは大変厳しかったがとことん無関心な世界の様子を見るにつけて、自分たちの命はほかの人々と同じようには重んじてもらえないのだ、とゲイの人々はショックを受ける。職場や家で一緒に過ごすだけで病気が移るようなことはなかったのに、エイズ患者は仕事をクビになったり、住居を追われたりすることもよくあった。

1986年末までに、アメリカで2万5千人以上がエイズで亡くなっていた。科学の力でようやく治療薬が開発されようとしていたが、費用が高すぎてほとんど誰も手が出せない。このままにしておくわけにはいかなかった。翌年の春、劇作家のラリー・クレーマー氏が、直接行動を起こすための抗議団体を作ろうと立ち上がる。こうしてできたのが、「AIDS Coalition to Unleash Power（力を解放するエイズ連合）」、通称「ACT UP（アクトアップ）」だ。

最初の活動では、250人の活動家がニューヨーク金融街の中心、ウォール街に繰り出した。大きな製薬会社がエイズの治療薬で金儲けをしようとしている状況に抗議するため、彼らは道の真ん中に横たわって道路をふさぎ、段ボールで作った墓石を掲げた。これだけでも十分に注目を集める危険な行動だったが、彼らの勢いはこれからどんどん加速していく。

それ以来、ACT UPは活動を続け、ニューヨークにかぎらずアメリカ各州の支部を通じて抗議の輪を広げていった。参加メンバーにはこうした抗議活動に長く携わってきた者もいれば、今回が初めてという者もいた。活動歴が長いレズビアンのグループは、1970年代の反戦運動で培ったスキルを存分に発揮した。だが、経験がない人もかえってそれが強みになって、集会や、長いスピーチや、行進などのかたちに囚われず、新しい抗議を次々と生み出していく。事態は一刻を争い、少しの時間も無駄にはできなかったのだ。

建物のなかに忍び込むのも、ACT UPが得意とする手段の1つだった。1月のある寒い夜、数人のメンバーが何の変哲もないスーツに身を包み、ほかのビジネスマンに紛れてテレビ局の本社に入り込む。そして、夜のニュースの生放送中にカメラの前に飛び出し、全国をあっと驚かせたのだ。彼らは、キャスターたちが呆気に取られている間に「戦争ではなくエイズと戦おう」というフレーズを繰り返し、真のニュースとはどういうものかを世にありありと示してみせた。

また、アメリカ食品医薬品局（FDA）の本部にこっそり侵入すると、FDAの公式発表時に使われる用紙を盗み、そこに「エイズの治療薬の価格を下げ、一般に流通しやすくする」という嘘のニュースをしたためて各所に発送した。翌年には、ニューヨーク証券取引所の全フロアを閉鎖し、製薬系大企業の取引を妨害。そしてその数日後、エイズ治療薬の価格は3分の1にまで下がったのだった。

ACT UPは歩みを止めなかった。彼らのミッションは、エイズについて理解し、その悲劇を完全になくすことだったからだ。何人かのメンバーは科学の専門家になり、その後治療法が改善され、世間でもエイズについて堂々と語られ、何百万人もの命が救えるようになるまで力を尽くした。こうして、かつては社会から孤立し、肩身の狭い思いをしていたエイズ患者たちは、抗議運動の歴史のなかでもとくにパワーあふれる存在になったのだった。

フリーダム・ストリート

パレスチナ人の抵抗運動　パレスチナ　2002年〜

地中海の東沿岸に位置する、中東のパレスチナ。ここは長らく、イスラエル人とパレスチナ人という2つの勢力のせめぎ合いに置かれてきた。数十年におよぶ中東戦争を経て、イスラエルがその土地の大部分に入植していき、何百万人ものパレスチナ人が家を捨てて難民とならざるを得なくなった。

パレスチナ人は武力でも戦ったが、非暴力的な手段による抵抗運動も展開した。ボイコットをしたり、行進やストライキをしたり、果ては「パレスチナ時間」といって、春に冬時間から夏時間へと切り替えるタイミングをわざとイスラエルより1週間前倒しにすることもあった。だが、イスラエルは2002年に、イスラエル人とパレスチナ人を隔てるフェンスを建設し始める。

たとえば、あなたの住んでいる場所はこちら側で、職場はあちら側にあるとする。だが、フェンスはそんなことはお構いなしに建設されていく。学校や病院に行くのにフェンスをずっと迂回しなくてはならない人がいても、イスラエル側にはどうでもいいこと。オリーブ園を突っ切ろうが気にも留めない。だが、パレスチナの人々にしてみれば大問題だった。

フェンスの建設が開始された当初から、パレスチナ人はそれを阻止しようとした。

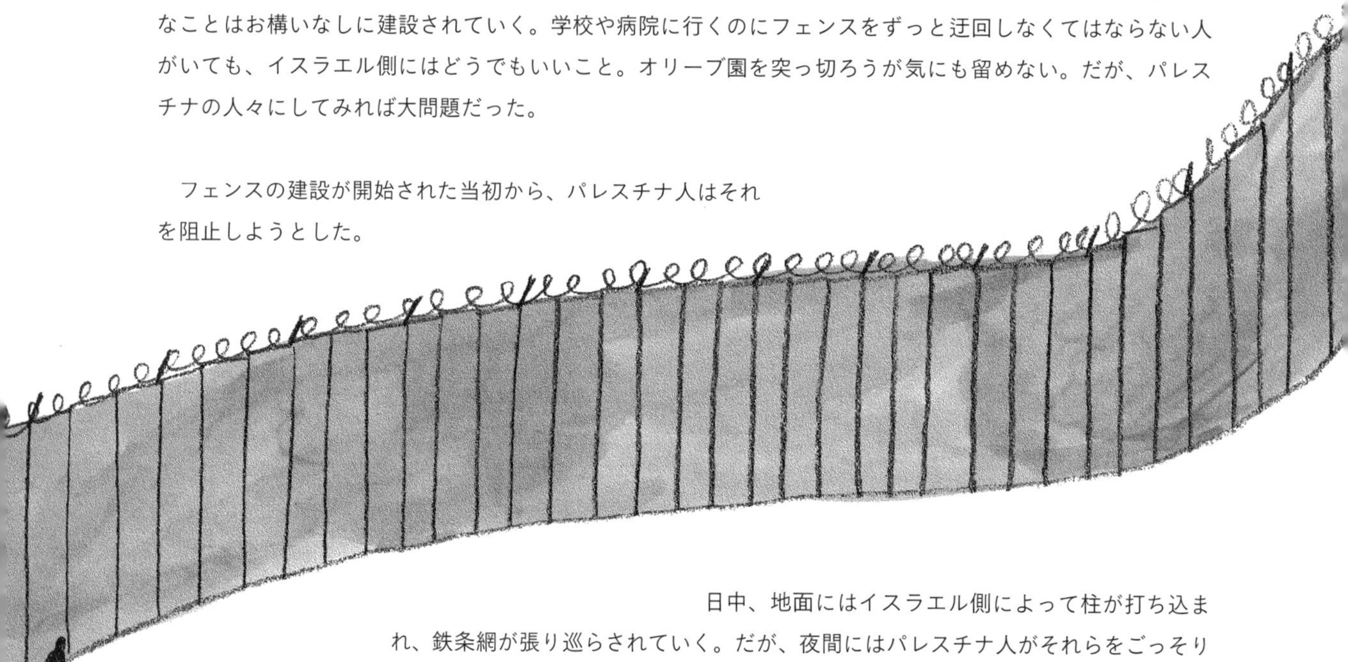

日中、地面にはイスラエル側によって柱が打ち込まれ、鉄条網が張り巡らされていく。だが、夜間にはパレスチナ人がそれらをごっそり取り去る。これを何度もくり返していったが、フェンスはやがてコンクリートの壁に置き換わっていき、壊すのが難しくなってしまった。

パレスチナの人々は、せめて残された土地は自分たちのものだと主張し、少しでも安らぎを得ようと壁のそばにオリーブの木を植え、庭を作った。

夜になると、アーティストたちが壁に落書きをしていった。分離壁が建設され始めたころは、スマートフォンもソーシャルメディアもなかったので、壁に描かれたメッセージこそがコミュニケーションの要であり、会合やデモについて知らせる重要な手段だった。パレスチナの旗に使われている緑と赤と白と黒の4色を用いて、巨大な家の鍵のイラスト[注]やピースマーク、「パレスチナ万歳」といったスローガンなど、ありとあらゆるものが描かれていく。とはいえ、アーティストらはどんなときでも落書きが美しく見えるように注意した。そうすることで、分離壁がよって立つものの醜さをいっそう際立たせたかったからである。

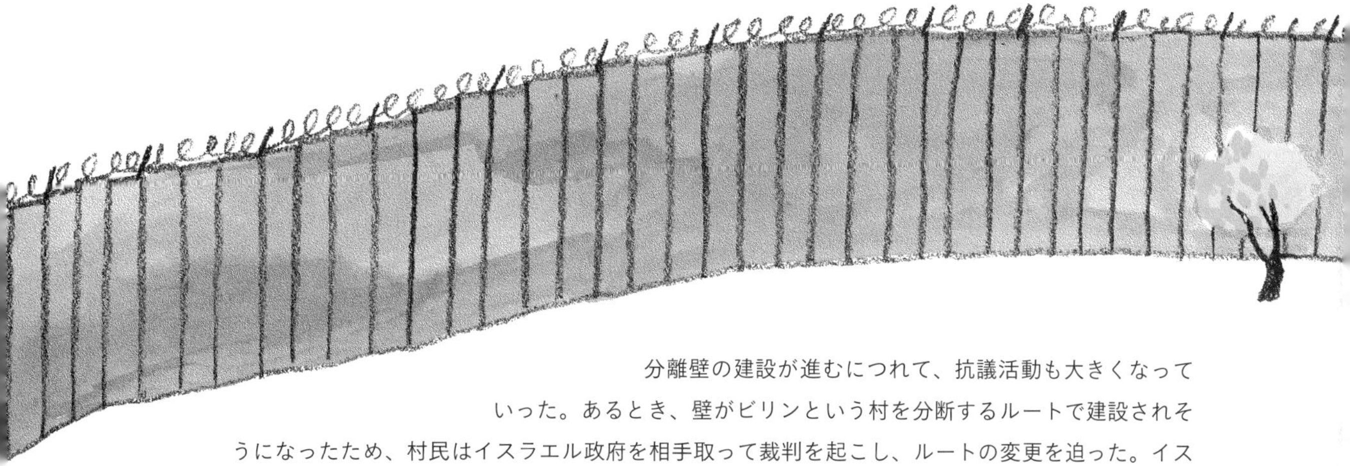

分離壁の建設が進むにつれて、抗議活動も大きくなっていった。あるとき、壁がビリンという村を分断するルートで建設されそうになったため、村民はイスラエル政府を相手取って裁判を起こし、ルートの変更を迫った。イスラエル政府に盾突くにはビリン村はあまりに小さく、誰も彼らが勝つとは思っていなかった――だが、結果はビリン村の勝訴。裁判官は、分離壁は村の真ん中を突っ切るのではなく、村を迂回するルートにするように、と判決を下したのだった。

もちろん、村の人々が本当に望んでいるのは、分離壁自体がなくなることだ。ビリン村から壁へと続く通りは「フリーダム・ストリート」という名前に変わり、現在も毎週金曜日には住民がみんなで分離壁まで行進している。この抗議活動は世界的にも有名で、各国から活動家がやって来ては一緒に参加している。賛同する人はなんとイスラエルからも来ており、パレスチナ人とともに団結して戦っているそうだ。NGO「Ta'ayush」(「アラブとイスラエルの友好」の意味)のメンバーは、パレスチナの人々が壁に近いところにある畑でも安全に農作業をし、子どもたちが無事に通学できるように日々支援している。

パレスチナ地域のあちこちで人々は行動を起こし続け、壁の陰で抵抗運動の花を咲かせている。パレスチナ人はアラブの言葉で「不動の忍耐力」を意味する「sumud」をスローガンに、自由をつかみ取るための長い戦いを決して諦めないのだ。

[注] 家の鍵のシンボルは、「必ず家に帰る」というパレスチナ人の決意を表わしている。

これぞデモクラシーの姿だ
シアトルの戦い　アメリカ　1999年

1999年の初冬、世界のなかでも裕福な国々は、米シアトルで大規模な国際会議を開き、多国間貿易をいかにスムーズにするかという話し合いをしようとしていた。この国際会議の枠組みこそ、世界貿易機関（World Trade Organization、WTO）だ。だが問題は、彼らがその狙いを、労働者の権利や環境の保護に寄与していた数多くのルールの撤廃によって実現しようとしていたことだった。だから、WTOの頭文字をもじって「World Take Over（世界の私物化）」と揶揄する人もいた。

会議開催の知らせを耳にした世界各地の活動家は、これを機に団結して、WTO会議を大失敗させてやろうと考えた。お堅いスーツに身を包んだ少数のお偉方が、数々の国際ルールを勝手に反故にしてしまえば、労働者や地球環境にそのしわ寄せが来る。当時、インターネットの誕生からまだ数年しか経っていなかったが、これを活用することで、ことなる国にいる活動家らが初めてスムーズに意思疎通をし、権利を守るために戦う意向を互いに確め合うことができた。そして、それぞれの戦いはあらゆるところで相関していて、多くの共通点があることもわかった。たとえば、インドで賃金平等を求める労働者の権利はカナダの森林保護問題と繋がっていたし、それはさらに、世界の海洋で行われる大型船による底引き網漁のせいで漁師たちの生活が脅かされていることとも関連していたのだ。

WTO会議に乗じて、資本主義がもたらす問題へいかに世間の注目を集めるか、活動家たちはクリエイティブなアイデアをたくさん生み出した。そして会議の1週間前には世界各国から人々が集結し、それぞれの計画を具体的な行動に移していった。たとえば、シアトルで最も読まれている新聞にそっくり似せたオリジナルの新聞を作る。記事の中身は、人と地球がお金よりも尊重される、彼らが理想とする世界についてふんだんに語ったもの。それをこっそり、新聞の売店に忍ばせていった。だが、これはほんの始まりに過ぎなかった。その後すぐに、彼ら自身が本物の新聞の見出しを賑わせることになっていったのだから――。

会議初日の夜明け前、活動家らは自転車のチェーンロックや手錠を用いて、互いに離れないように手を繋ぎ合う「人間の鎖」を作り、シアトルの交通の要所を封鎖していった。WTO会議の各国代表がホテルで朝食のクロワッサンを楽しんでいる間に、1千人を超える人が抗議のために集まり、会場に向かってあらゆる方面から行進を始めていた。

自分たちを待ち受けているものを知る由もなく、WTO幹部らはブリーフケースを手に会議へと向かった。だが突然、それ以上先には進めなくなってしまう。会議場への道は、学生、老人、労働組合、環境保護団体、人権保護活動家、マーチングバンド、操り人形、それに保護を訴える動物の着ぐるみを着た人々であふれかえっていた。結局、WTOはこの日の会議の開催を諦め、翌日に延期することにした。

幾度にもわたる遅延の果てに、ようやく会議は開始された。しかし、会議が続けば抗議も続く。活動家らはその週まるまるシアトルに居座り、毎朝日の出前から大勢の人が街に繰り出した。通りは連日、踊ったり、ドラムを叩いたり、チアリーディングをしたり、路上講義をしたり、横断幕を掲げたり、演劇をしたりする人で大賑わいだった。

街で行われるカーニバルのせいで、会議を通常どおり進行するのはもはや不可能だった。出席者は資料をめくり、何とか集中しようとするが、各自の発言は外から聞こえてくる騒音にかき消されてしまう。結局、国際会議は早めに打ち切られた。そしてこの瞬間、世界は「必ずしも資本がすべてではない」ということをまざまざと実感したのだった。シアトルの街では力を合わせて共闘した抗議団体らが友好を深め、それ以来、ずっと連携を続けているという。

演劇

劇場では、世界で起きていることを生き生きと物語り、新たな可能性を開いて想像力に火をつけることができる。アクタビスト（俳優兼活動家）たちは、伝統的なパフォーマンスのかたちを打破し、演劇的な手法を用いてオリジナルの表現を模索しながら、鮮烈な印象を人々の胸に刻んでいくのだ。

［注］ルカシェンコ大統領は、公共の場で拍手を禁止。これでイグ・ノーベル賞も受賞している。

イエスメン　2004年

アメリカで活躍するコメディアン「イエスメン」は、演技力とブラック・ユーモアのセンス、真面目な風貌を生かして、政治家やビジネスマンになりすますパフォーマンスを行う。あるとき、インドのボパールの化学工場で爆発事故を起こした企業の責任者に扮して英BBC放送のニュースでコントを披露した。このコントによりボパール村への被害が世間に知れ渡ると、企業の株価は急落した。さらに、コントのなかで発表した被害者への損害賠償がまったくのフィクションであり、実際は当の企業側が賠償するつもりなどさらさらないことが明らかになる。事故を起こした企業に対する批判が相次ぎ、公正な対処を求めるボパールの人々の訴えの行方に、世界中の注目が集まることとなった。

皮肉の拍手　2011年

ルカシェンコ大統領の独裁下にあるベラルーシでは、大統領のやることすべてを称賛しなくてはならない。あるとき、大統領が選挙での再選を高らかに宣言すると、市民はこの茶番を抗議に変えてはどうかと思いつき、大勢で集まると、何もないところで拍手を始めた。この皮肉に満ちた拍手の様子は大統領には耐えがたく、これなら誰も拍手しないほうがましだと激怒した。ついには、大統領の支持者まで、彼を称えることに恐怖を抱くようになったのだった[注]。

グリッター爆弾　2010年代

アメリカの政治家ニュート・ギングリッジが同性婚への反対を表明すると、抗議活動家のニック・エスピノーサは、ギングリッジの著書のサイン会の列に並んだ。先頭にやってくると、エスピノーサはキラキラ光を反射するグリッター素材の屑をギングリッジに向かってぶちまけ、「ヘイトをやめろ」「虹を感じてみろ[注]」と叫んだ。これを見たLGBTQ+の権利を訴えるほかの活動家も、あちこちで同じ手法を使うようになる。そして、ギングリッジ自身も1年後に、彼が属する共和党内で同性婚を認めるよう働きかけを始めたのだった。

［注］虹はLGBTQ+の象徴になっている。

与えられた役から飛び出す　1989年

ベルリンの壁を壊そうという動きが活発化してきたころ、役者たちも声を上げることにした。東ドイツの都市ドレスデンの劇場では、演目を終えたキャストがステージ上にとどまり、「自分に与えられた役から飛び出そう」と表明。彼らは体制への批判を口にし、従順な市民の役など捨てようと観客に呼びかけた。劇場運営会社も、多数の逮捕者が出ることは覚悟のうえで団結した。やがて、公共の場で政権批判の言論を行うのが禁止されると、キャストはただ黙ってステージに立ち、沈黙の抗議を行った。この動きはたちまちドイツ全土に広がり、役者たちは自らの態度を表明していったのだった。

変革のリハーサル　1970年代

アウグスト・ボアールは、軍事独裁下にあったブラジルで活動した演劇監督だ。ボアールは、演劇を通して抗議運動を行う新たな手法を生み出す。そのなかでも、彼が「変革のリハーサル」と呼んだフォーラムシアター（討論演劇）では、観客が劇の筋書きに対して途中で提案をし、ときには劇そのものに参加することもできる。観客と演者を行き来する者を「スペクト・アクター」といい、彼らは演者と一緒になって、現実世界で直面している抑圧から脱却する方法をさまざまに模索していく。ボアールはこの手法を通して、劇の幕が下りたあとも実際に行動を起こしていくことを人々に促したのだ。彼はのちに市議会議員になり、市民が新しい法律を作る場として劇場を活用した。

アクタ・ビズム　2010年代

石油企業が各ミュージアムのスポンサーになっていることに抗議して、英石油メジャーBPの名を冠したアクタビストのグループ「BP or not BP」がさまざまな試みを行っている。彼らは手始めにシェイクスピア劇を妨害し、ステージに乱入すると、石油企業が気候変動に悪影響を及ぼしているというシーンを演じてみせた。それ以来、彼らが行ったパフォーマンスは50を超え、巨大な海賊船や高さ4メートル以上もあるトロイの木馬を模した建造物を大英博物館に持ち込んで抗議することもあった。2019年には、化石燃料を扱う企業への抗議に大勢の人が参加したのを受け、イギリスの著名な劇団ロイヤル・シェイクスピア・カンパニーはBPとのスポンサー契約を打ち切った。

水のごとくあれ

世界的な蜂起

インターネットをオフにしろ！

アラブの春　カイロ　2011年

エジプトは30年近く、ホスニ・ムバラク大統領の独裁政権下にあった。政権を支持しない国民も多く、ムバラクもそれを自覚していたので、ボディガードを大勢雇い、市井の人々の監視までさせていた。あるとき、選挙が行われることになり、ムバラクを退陣させるチャンスが巡ってきた。だが、実際にはそれはパフォーマンスに過ぎず、有権者は自宅に留まるかムバラクに投票するかの2択を迫られ、結局ムバラクの再選が決まった。このままでは、彼を追放するのは永久に不可能かのように思われた。

しかし、確かな希望も芽生えていた。近隣の国チュニジアで、人民による民主化革命で独裁政権が崩壊したのだ。エジプトの活動家たちは、自分たちにもチャンスがあるのではと考えた。ずっと温めてきたアイデアを実行に移すなら、いましかない、と。

彼らは抗議運動の日を決めると、早速フェイスブックに投稿した。日が近づくにつれて、イベントページへのアクセスは1分あたり1千人にものぼるようになり、多くの人が参加を表明した。だが、オンラインの世界ではこれほど盛り上がっていても、2人以上で集まることが禁止されているカイロの街で、本当に抗議が成立するのだろうか——。参加者らが逮捕されるのを避けるために、何か賢い方法を考えなくてはならなかった。

デモの集合場所はダウンタウンエリアということになっていたが、当日の朝、イベントの企画者たちはもっと参加者を募るべく、スラム街へ赴いた。彼らは当初公言していた場所とはちがうところへ向かったことで、警察をかく乱し、その結果さらに大勢の人を集めるための時間稼ぎができた。最終的に抗議参加者らがカイロ中心部のタハリール広場に集結してみると、その勢力は盤石なものになっていた。集まった人々は素早くテント村を作り、そこを拠点に機動的なデモを繰り広げ、カイロ中の通りや橋で自由自在に抗議を行っていった。

ムバラク大統領は、この革命がインターネットに端を発するものだとわかっていた。そこで彼は、インターネットが使えないようにしてしまえば、革命自体も鎮圧できるのではと考える。だが、タハリール広場ではすでにリアル世界のネットワークが構築されており、体制への恐怖心が小さくなった人々が自由闊達に話し合える環境が出来上がっていた。こうなると、いまさらインターネット回線を切ってみても、もうどうしようもなかった。

やがて、抗議者の規模は百万人ほどにまで膨れ上がった。もはや選挙をしたところで、大多数がムバラクに投票したと開票結果を偽ることも難しい。タハリール広場の占拠は18日間にもおよび、ついにムバラクは辞任に追い込まれた。国民はとうの昔に、ムバラクの欺瞞に満ちた声明に愛想をつかしていたので、当然、退任スピーチも行われなかった。

エジプト国民は暴力に訴えることなく、たった数日のうちに途方もない勝利を収めた。そして、これを皮切りに、民主化運動はイエメン、バーレーン、リビア、シリア、イランにモロッコと、近隣諸国へ波及していく。これが、いわゆる「アラブの春」だ。こうして中東のあちこちで、独裁者が次々にその地位を追われていった。

エジプトの活動家たちはムバラクを退陣させることで頭がいっぱいだったので、その後の体制についてはあまり考えられておらず、結局彼らが夢見た新しい社会のビジョンの実現にまでは至らなかった。だが、タハリール広場でともに過ごし、夢を語り合った時間を、人々は決して忘れないだろう。国民が力を合わせれば、政権を交代させ、コミュニティをひとつにし、永遠に続くかと思われた独裁体制でさえも終わらせることができるのだ。

不服従の人形たち

おもちゃの抗議　世界各地　2010年代

ロシアでは、市民が政権への抗議活動をするには許可が必要だった。そして、実際にはその許可が下りることなど無いに等しかった。

2012年、シベリアの小さな町バルナウルの住民たちは、この抗議禁止をうまくかいくぐる方法を思いつく。自分たち自身が抗議をすることはできないが、誰か、いや何かに代わってもらったらどうだろう——。そして、雪の降る冬のある日、町の広場には、政権を批判するプラカードや横断幕を掲げた無数のテディベアや、レゴの人形や、おもちゃの兵隊が並んだのだった。

まもなく警察が到着したが、目の前に広がる光景を見てすっかり困惑してしまった。人形を逮捕するなんて、いったいどうすればいいのだろう。この馬鹿馬鹿しいシーンの写真がロシアじゅうに出回ると、国内各地で同じようにおもちゃの抗議が行われるようになった。市民が自分たちを小馬鹿にしていると見てとった政権側は、なんとおもちゃのような無生物すら公の場に集めることまで法律で禁止した。

おもちゃが抗議の場面で使われたのは、ロシアだけではない。

2018年、ボスニア・ヘルツェゴビナの都市バニャ・ルカの中心にあるクライナ広場では、集会の実施が禁止される。すると翌年、そこで「人間不在の抗議」が行われた。広場には、「もてあそばれるのは、もうたくさん！」と書かれた横断幕を掲げるゾウのぬいぐるみとテディベアが置かれた。「私たちをおもちゃ屋で買うことはできても、選挙ではそうはいかない」と書かれたものもあった。このときもやはり政府は警察を広場に送ったが、かわいらしいおもちゃを相手に躍起になる姿からは、政府がそれほど市民からの批判を恐れているという現実が浮き彫りになった。

2014年、中国人の反体制派アーティスト、アイ・ウェイウェイ（艾未未）は、政治犯とされた人々の肖像をかたどる作品を構想して、その素材におもちゃを使おうと考えた。そうした人々の画像をネットで見てみると、まるでレゴのブロックでできているかのように、画素の粗いモザイク写真が表示されることが多かったからだ。

アイは初め、自分の息子のおもちゃのレゴで作品を制作していたが、それが足りなくなると、デンマークにあるレゴ社の工場に追加の発注をかけた。だが、なんとレゴ社から断られてしまう。かわりに届いた手紙には、「アイの作品は政治色が強く、商品を販売すればその主張にレゴ社も賛同したかのように受け取られかねない。政治的中立を掲げる企業としては難しい」という旨のことが書いてあった。

ところが、アイは結局、レゴ社におもちゃを供給してもらえなくても全く困らなかった。この話を聞きつけた世界中のファンや支持者が、自分の家のおもちゃ箱から小さなレゴのブロックを大量に送ってくれたからだ。まもなくレゴ社はアイに謝罪したというが、それ以来、アイは寄付してもらったレゴを使って作品を制作し続けている。

水のようにストリートに流れ込む

民主化デモ　香港　2014年

香港は、地図で見ると中国の一部のように見えるが、150年以上イギリスの支配下にあった。1997年に香港がイギリスから返還されたとき、「自分たちはいったいどうなるのだろう」と不安を感じた市民もいた。我々で自治をするわけにはいかないだろうか、と——。

返還後、初めのうちは市民生活にあまり大きな変化は見られなかったが、しだいに法律が厳しくなっていき、人々は表現の自由を奪われていった。事態を憂慮したのはとくに若者だった。彼らは、香港という都市の将来に希望を見出すことができなかったのだ。

そこで、彼らは抗議を試みた。2014年には通りを79日間にわたり占拠し、街を機能不全に陥らせた。だが、状況は変わらない。それどころか新しい法案が持ち上がり、その中身を見てみると、法令に違反した人がいまよりもっと厳しい罰を受けることになると予想された。これはもう一度、行動を起こさなくてはならない。しかも今度はより強力に、新しい戦い方をしなくてはならなかった。

スローガンは「水になれ」。俳優で武道家のブルース・リーの、次のような言葉からとったものだ。——「岩場の割れ目を伝っていく、水のごとくあれ。ぶつかろうとせず、相手に合わせる。そうすれば、避けるも進むも自由自在だ……水は流れることもできるし、物を砕くこともできる。水になれ、友よ」。抗議活動家たちはこの言葉を胸に、時と場合に応じて隊列を変え、通りになだれ込んだかと思えばさっと退き、複数の場所に同時に現われては不規則に進行方向を変えるなど、巧妙にデモを展開していった。

彼らはデモの日時や場所を予告するかわりに、携帯電話を利用して、デモ隊を臨機応変に集合させたり解散させたり——。こうした戦術によって警察を混乱させ、抗議の参加者たちの安全を確保した。まさに水のようにしなやかに行動したのだ。

チームワークこそ、抗議活動家たちの戦いの要だった。彼らは手話のような特別なジェスチャーを考案し、ヘルメットやマーカーペンやちょっとした道具など、自分が必要とするものを仲間に伝えるサインとして使った。こうした物資は、ときには何百人もの列を成す人間の鎖を伝って届けられた。また、デモに参加する人々はみんな傘を差し、正面にかざしながら前進した。警察の攻撃から身を守ったり、カメラで顔を撮影されないようにしたりするための盾にしたのだ。

若者の行動は、ほかの層にも影響を与えた。全国規模のゼネラル・ストライキが起き、35万人もの労働者が変革を要求。また、「銀髪族」と称する高齢者らも孫世代に入り混じり、若者から手のジェスチャーを教わるかわりに、彼らに食べ物を分け与え、抵抗の歴史を語って聞かせるのだった。

香港市民は粘り強く戦い、当初争点になっていた法案は政府によって取り下げられた。だが、抗議はそこで終わらなかった。香港の民主化と独立を求めて、彼らはいまも水のごとく、決して流れを止めずにいる。

ここで終わらせよう

ブラック・ライブズ・マター　世界各地　2013年〜

2013年、3人のアメリカ人女性アリシア・ガーザとパトリス・カラーズ、オパール・トメティは、黒人に対する人種差別と警察による暴力に抗議して、ブラック・ライブズ・マター（BLM）運動を立ち上げた。

BLM運動は、黒人のティーンエイジャー、トレイボン・マーティンが殺されたときに、SNS上の「#Black Lives Matter」のハッシュタグから始まった。このハッシュタグによって、人々は怒りと悲しみを分かち合い、アメリカの法律がいかに人種差別犯罪の犠牲者に対して不平等かについて考えるようになった。

オンラインの世界で始まった抗議運動は、まもなく舞台を現実の街へ移していく。BLM運動家たちは、ダイ・イン（死んだふりによる示威行為）をしたり、高速道路をブロックしたり、空港ターミナルを封鎖したり。彼らはコミュニケーションの方法をいくつも編み出し、ネットワークを構築し、それによってさまざまな都市で同時に多くの人を動かせるようになった。

2020年、2名の黒人アフマド・アーベリーとブレオナ・テイラーが警察に殺されて、アメリカの黒人社会は揺れに揺れた。また同時期、COVID-19による黒人の死亡率が白人よりもずっと多いことも明らかになった。そして、警察によってもう1人、ジョージ・フロイドという黒人男性が殺されたのをきっかけに、新たなBLM運動がアメリカ全土を席捲し、さらに数日のうちに世界じゅうに広がっていった。

ジョージ・フロイドが亡くなった場所近くの交差点には、抗議する人、彼の死を悼む人、大勢が集まって花を手向け、横断歩道にカラースプレーでスローガンを書きつけた。やがて、人々は悲しみを胸に抱えながら心をひとつにして、それぞれの街で通りに繰り出していく。

多くの黒人の命を奪ってきた人種差別的なシステムの終焉を求めて、デモは数週間続いた。抗議者らは政府に対して警察関係予算を削減し、かわりに地域コミュニティへの投資を増やすようにも訴えた。なかには「自治区」を作る動きも出てきて、一定の区画の通りや公園に警察が立ち入れないようにし、そこでみんなで次のアクションプランを練った。

なかでも、シアトルの「キャピトルヒル自治区」は1カ月近く存続し、人々はそこで野菜を育てたり、食料配給所を作ったり、道路1ブロック分にもおよぶほど大きな「Black Lives Matter」のペイントを施したりした。

イギリスのブリストルでは、BLM活動家らが、17世紀の奴隷商エドワード・コルストンの像をロープを使って引き倒すという事件が起きて騒ぎになった。彼らは重たいブロンズ像を台座から下ろすと、ごろごろと転がして、しまいに海へと捨ててしまった。そして、ダンボールで作った看板に「この銘板を故郷から引き離された奴隷たちに捧ぐ」と書いて掲げたのだった。これ以降、植民地主義や奴隷貿易を彷彿とさせる名士の像が世界じゅうで傷つけられたり、首を落とされたり、スプレーで落書きされたりするようになる。BLM運動によって、黒人に大きな苦しみをもたらした歴史上の人物を称えることに多くの人が疑問を持つようになり、世界各地の都市で市議会が自ら像を撤去するという動きも続出した。

BLM運動は、世界でもこれまでに類を見ないほど、大規模で強力な抗議運動となった。とくにアメリカでは、何千万人もの市民が人種差別に対して声を上げ、政治とカルチャーの世界でも人種の平等が真正面から語られるようになった。抗議運動の影響は各州の行政にもおよび、警察の規模縮小と地域コミュニティへの投資の拡大があらためて検討され始めている。だが、黒人が100%安全に暮らし、尊重されるようになるには、まだまだ道のりは長い。ここからが本当の勝負なのだ。

デジタル

抗議の方法

インターネットが発明される前から、活動家たちはデジタルテクノロジーを用いて、社会を揺り動かしたり、メッセージを広めたりしていた。テクノロジーが進化すればするほど、インターネット上での抗議の仕方もバラエティ豊かになっていく。

システムをスパムせよ　1990年代

1990年代、イギリス政府はレイヴ・カルチャー[注]を抑え込もうと、大規模なイベントでビートを繰り返し刻むような音楽を流すのを禁止した。レイヴ音楽を愛する人々はこれに反対し、これまでにないやり方で現状を打破することにした。そこで、イギリスの政治家たちに何千通ものEメールを送りつけて受信ボックスをパンクさせ、政府のウェブサイトを1週間も閉鎖させたのだった。今日見られるハッシュタグによる抗議運動も、ここから派生してきたものと言えるだろう。

［注］空き倉庫や野外でテクノ系のダンス音楽を大音量でかけて盛り上がるもの。「レイヴ」は「Revolution Live」からの造語。

バーチャルな座り込み　1995年

DoS（Denial of Service）攻撃を世界でも先駆けて実践したのが、イタリアの「Strano Network」という組織だ。彼らは、フランス政府の核兵器政策に抗議するためにこの手法を使った。DoS攻撃はいわば「バーチャルな座り込み」で、大勢の人が一度にウェブサイトに押し掛けて、何度も何度も更新ボタンを押し、ついにはサイトをクラッシュさせてしまう。やっていること自体は非常にシンプルだ。だが、複雑なハッキング手法でウェブサイトを破壊し情報発信することで知られるハッカー集団「アノニマス」も、いまでもこの方法を活用している。

自由のためのブログ　2009年

マララ・ユスフザイは、反政府武装勢力タリバンが支配するパキスタンの北西部で育った。タリバンは女子教育を禁止していたが、マララは学校が大好きで、もっと学びたいと思っていた。11歳のとき、彼女はタリバン支配下での日常を匿名で英BBC放送のブログに寄稿。数年間続けるうちに、ブログは非常に有名になり、マララの身元が知られてしまう。すると、ただ子どもがインターネットを使っているというだけなのに、タリバンはマララを殺そうとした。銃撃を受けたマララはイギリスに搬送され、そこで重傷から回復した後、また学校へ通い始めた。そして17歳になったマララは、史上最年少でノーベル平和賞を受賞したのだ。

K-POP VS アメリカ大統領　2020年

ドナルド・トランプ米大統領が、新型コロナウイルスのパンデミックとBLM運動が重なる状況下にもかかわらず、大規模な選挙イベントを開こうとしたとき、思わぬところから抗議運動が巻き起こった。K-POPのファンたちが、コンサートのチケット争奪戦で培ったスキルを活かして、選挙イベントの席を何千と予約したのだ。だが、彼女らはイベントに行くつもりはまったくなかった。チケットの売れ行きを見たトランプは、自分のスピーチを聞きたい人が百万人もいるのだと声高に自慢してみせたが、蓋を開けてみると会場には大幅な空席が目立つ状況に。大統領は大恥をかくはめになった。K-POPファンはBLM運動も精力的に支援し、BLMに反対する「#Blue Lives Matter」[注]のハッシュタグを、何の脈略もなく青い小人のキャラクター「スマーノ」の画像などに貼り付けて大量に投稿して乗っ取ったり、BLM運動のために何百万ドルもの募金を集めたりした。

[注] 警官側を支持する運動。「Blue」は警官の制服が青色であることに由来する。

史上最高のセルフィー　2016年

サラ・マクブライドは、出生時の性別は男性だが心の性としては女性を自認するトランスジェンダーだ。彼女が出張先のノースカロライナ州でトイレに行こうとしたときのこと。もしこれが彼女の地元ワシントンD.C.であれば何の問題もなかったが、ノースカロライナには「公衆トイレは出生時の性別に合ったものしか使ってはいけない」という法律ができていた。サラはまっすぐ女性用トイレへ入り、そこで1枚のセルフィーを撮ってSNSにアップする。「私たちはみんな、単なる人間です。ただ、平和にトイレに行きたいだけ」――そう書き添えた投稿は数万回シェアされ、ニュースにも取り上げられ、同州でトランスジェンダーの人々が置かれている状況に対して世間の注目が集まった。そして1年も経たないうちに、問題の法律も撤回されたのだった。

VULA作戦[注]　1980年代

南アフリカでは、アパルトヘイト反対運動家たちが政府のスパイの目をかいくぐるため、秘密裏にコミュニケーションがとれる方法を模索していた。南アフリカ出身で、ロンドン在住だった活動家のティム・ジェンキンは、この問題に何年間も取り組み、ついにとあるシステムを完成させる。その使い方は次のとおり。ヨハネスブルグにいる仲間の活動家ジャネット・ラブが、まずコンピュータにメッセージを打ち込み、それをコードに変換し、そのコードをさらに音に変換する。次に、ジャネットがロンドンにいるティムに電話をかけ、留守番電話に向かってその奇妙な音を再生する。すると、録音された音をティムがもとのメッセージに復号し、南アフリカを追放された世界各地の活動家たちに転送していくのだった。

[注]「Vula」は、南アフリカの公用語の1つであるズールー語で「open the road or the path（道を開く）」の意味。これが作戦名に採用された。

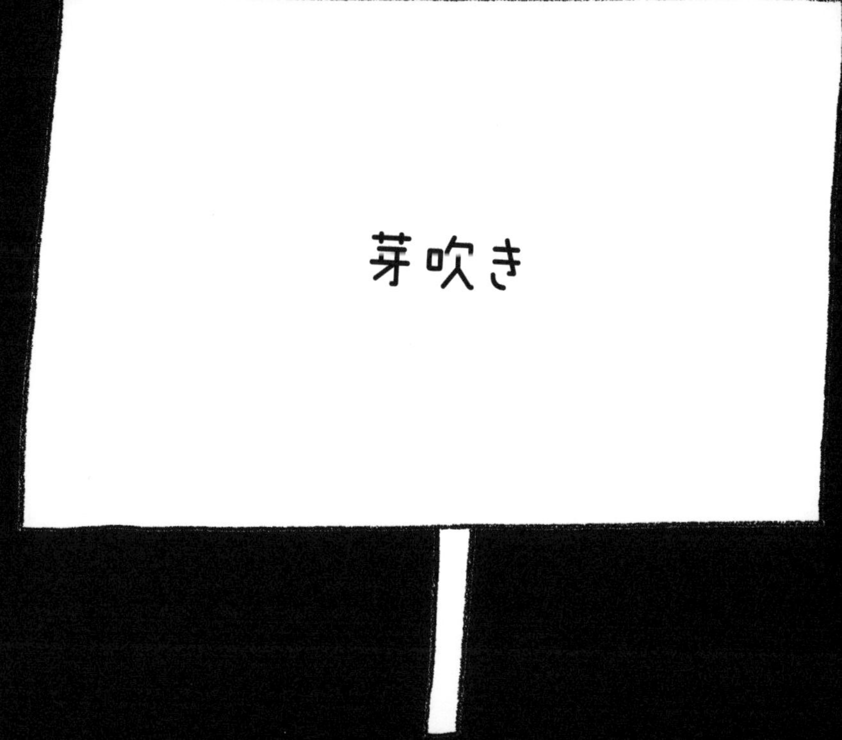

芽吹き

ズゼカ・サパ——黒い蛇

ダコタ・アクセス・パイプライン抗議運動　北アメリカ　2016年〜

北アメリカの先住民族であるラコタ族、ダコタ族、ナコタ族には、とある予言が伝わっていた。——ある日、巨大な黒蛇が現れて、大地をくねくね這いまわり、「Unci Maka（母なる地球）」を危機に陥れる——。人々は何年もの間、黒い蛇はいつやって来るのか、どんな姿をしているのか、戦々恐々としていた。果たしてそれは、アメリカを蛇行するように走るあの高速道路のことなのだろうか……？　そんなあるとき、石油パイプライン建設の計画が持ち上がった。なんと、ノースダコタ州内の先住民の聖なる土地を何千キロと横切るかたちで、地中を黒い石油が流れていくのだという。まさしく予言どおり、「ズゼカ・サパ（黒い蛇）」が現れたのだ。

水は命そのものであり、きれいな水がなければ人も野生の動物も生きられないと先住民は知っていた。だが、問題の「ダコタ・アクセス・パイプライン」が建設されれば、彼らの居留地を流れる「Mni Sose（ミズーリ川）」が汚染されてしまう。彼らにとって、ミズーリ川は単なる川ではなく、家族の一員と言っていいような存在だったのだ。だから、親戚を守るのと同じ気持ちで、彼らは川を守ろうと心に決めた。

予言のなかには、抵抗の物語も語られていた。黒い蛇が現れると、人々は力を合わせて戦い、その頭を切り落とした、と。そして、現実の物語も同じ道筋を辿っていく。

石油関連企業とのごく初期の会合において、先住民は立ち上がり、パイプライン建設への反対を申し立てた。1851年に政府と結んだフォート・ララミー条約に則れば、渦中の土地は彼らのものであるはずだった。年配の者たちは、公式文書を発表したり、抗議スピーチをしたり、嘆願書を書いたりといった方法で抗議を開始し、また開発が予定されている先住民らの「聖なる土地」に小さなキャンプを張って、企業の勝手を許さぬように監視を始めた。

一方、若者も彼らなりのやり方で抗議活動を行った。たとえば、ティーンエイジャーは嘆願書を届けるためにリレー形式で何千キロもの距離を走った。なんとホワイトハウスまで走っていって、当時のオバマ大統領に面会を申し込もうとしたこともあった。結局、オバマ氏に会うことは叶わなかったが、かわりに彼らの様子を世界中の人が目にすることになった。その年の夏の終わりには、先住民らがキャンプを張っているスタンディング・ロック保留地に大勢の人が合流する。あまりの人の多さに、収容人数を増やすべく新しくキャンプを増設したほどだった。

キャンプは、まさに予言のなかで語られていたように、人々の団結の地となった。キャンプの中心には大きな焚き火が昼夜問わず燃えていて、そのまわりでみんなが歌い、踊り、料理をし、抗議の計画を練る。誰もが何かしら役割を担っていて、たとえば木を切ってくる人もいたし、学校を開く人もいた。また、キャンプはそれ自体、かつて白人移民による植民地主義と戦うために何百年も前から使われていた抵抗運動の1つの手法である。そこでは直接行動を行うためのさまざまなスキルも伝授された。そうやって、毎日デモ隊や何人かのグループがキャンプ地から掘削場まで出かけて行って、ブルドーザーに自分の身体を括りつけたり、警察を妨害したりするのだった。

キャンプで抗議運動をする人たちはきわめて平和的だったものの、政府や石油関連企業は警察や軍を送り、放水機を持ち出したり、犬をけしかけたり、催涙ガスを使用したりして、なんとか抗議運動を退けようとした。

もちろん、これには活動家だって恐ろしい思いをしたが、粘り強く戦い、一度はオバマ大統領からの支援を勝ち取った（次のトランプ大統領にはまたひっくり返されてしまったが）。活動の背後では、「Water Protectors」という水資源保護団体も彼らを支えた。やがてパイプラインは稼働を開始し、3年間は実際に石油が輸送されたものの、先住民はそこで諦めず、自分たちに土地の権利があること、またエネルギー関連企業は自然界に悪影響を与えない資源に切り替えるべきであることを世界に訴えた。本書を書いている時点では、パイプラインの稼働は一旦停止され、石油が黒い蛇のなかを流れていく動きも止まっており、今後についての議論が続いている。

強く主張するくらいでちょうどいい

エクスティンクション・レベリオン　世界各地　2018年〜

生命のために
立ち上がれ
目を
覚ませ！
気候変動に対する
世間の認識を
改めさせるため、
大勢の一般市民が、
わざと逮捕されるような
行動を起こしていく
そして、
政府に行動を
促しているのだ
いまでは、この
反逆者たちは
70を超える国々で
活動している
こうして、
世界中で
気候非常事態が
宣言されるようになった
危機的状況にある

学校ストライキ

未来のための金曜日　世界各地　2018年〜

その夏、スウェーデンは262年ぶりに最高気温を更新するほどの猛暑で、当時15歳で義務教育の最高学年にあたる9年生だったグレタ・トゥーンベリはひどく胸を痛めていた。気候はどんどんおかしくなっていっているのに、誰もそのことを真剣に語ろうとしない。周りを見渡してみても、政治家も大人たちも、みんな環境問題など存在しないように振る舞っているように見えたのだ。

大人が行動しないなら、自分がやるまで——。ある月曜日の朝、グレタは学校へ行くかわりにスウェーデンの国会議事堂へ赴き、政治家によく見えるように「気候変動のための学校ストライキ」と書いた看板を掲げた。そして、石畳の歩道のうえで丸1日過ごしたあと、写真を1枚、ソーシャルメディアに投稿して帰宅したのだった。次の日も、グレタは朝起きて、また1人で抗議活動をしようと国会議事堂へ向かった。だが今度は、ほかの人たちもどんどん合流してきた。みんな、グレタと同じように気候変動を憂いていた。そうした人々はグレタの投稿を見て、さらに情報を拡散させていく。そうこうするうち、その週の終わりには新聞の取材まで来るようになった。

学校ストライキの参加者らは、9月にある次の総選挙の日まで、同じ場所で抗議を続けた。だが、こうして世間の注目を集めるようになっても、政治家は依然として時間を無駄にするばかり。選挙が終わったあともストライキは毎週金曜日に続けられ、ヨーロッパ各国に招かれたグレタのスピーチはあらゆる国の人々の耳目を集めた。こうして、翌年の3月になるころには、米ニューヨークからケニアのナイロビまで、世界中の市町村で140万人もの子どもたちが学校ストライキを行ったのだった。

SKOLSTREJK FÖR KLIMATET
［気候変動のための学校ストライキ］

世界には、環境保護のために先陣を切って戦う若者がたくさんいる。

カナダに暮らす先住民アニシナベ族として活動するオータム・ペルティエは、13歳のとき、ジャスティン・トルドー首相に対し、先住民族の土地を脅かす石油パイプラインの建設について非難した。彼女はいまでは一族のなかで「最高水責任者」に就任し、先住民の土地と水を守っている。

ヴァネッサ・ナカテは、世界的に学校ストライキの動きがあることを知り、ぜひ自分が暮らすウガンダでも取り組みを始めたいと考える。ウガンダでは表立っての抗議運動は危険だったので、友達は誰もストライキに協力しようとはしなかった。そこで、初めのうちは彼女ときょうだいだけで活動したのだ。それ以来、彼女は気候変動の危機を訴える全国的なストライキ団体を3つ主導し、こうした活動を報道するメディアによる人種差別とも戦ったのだった[注]。

アルテミサ・シャクリアバはブラジル先住民の活動家で、熱帯雨林の保護に情熱を注いでいる。アマゾンの熱帯雨林火災の被害を目の当たりにした彼女は、これまで4百万ヘクタールを超える熱帯雨林とそこに暮らす人々を保護してきた先住民のコミュニティ「Guardians of the Forest（森の守護者）」とともに活動している。

中国の都市、桂林では、若く勇敢な活動家、欧泓奕（ハーウィ・オウ）が気候変動への対策を求めて抗議をしている。彼女はストライキをしたことで学校を退学になり、実家から離れて暮らさざるを得なくなった。それでも1人で活動を続ける欧は、抗議運動を行っていた政府の庁舎前から立ち退きを命じられた際、彼女は「Plant for Survival（生き残りのための植樹）」と称して、建物の周りに木を植えていったのだった。

[注] スイスで開催された世界経済フォーラム「ダボス会議」で、若き環境保護活動家たちが取材された際、集合写真から黒人の彼女だけがトリミングされ、白人4人だけになっていた。

ケニアのエリザベス・ワンジル・ワトゥティが初めて植樹をしたのは7歳のときだった。21歳になるころには「Green Generation Initiative（グリーンジェネレーションイニシアチブ）」という団体を設立し、彼女は数々の学校や若者らとともにこれまでに3万本以上もの木を植えている。

「US Youth Climate Strike（米国ユース気候ストライキ）」の共同創始者であるイスラ・ヒルシは、黒人が主体的に気候変動への抗議に参加できるよう、16歳のころから支援活動を展開している。「気候変動の危機によって最も深刻な影響を受けるのは黒人だ」というのが彼女の主張だ。

イスラ・ヒルシと同じく、ザナジー・アーティスも、若者による抗議団体「ゼロ・アワー」の運動を通して、人種問題と植民地主義と気候変動危機の関連性について説く活動家だ。彼らは、若者主催で気候サミットを開催したり、デモやロビー活動をしたり、アートフェスティバルを催したりしている。

若者主導の米政治団体「サンライズ・ムーブメント」は、温暖化防止と経済格差是正に向けた「グリーン・ニューディール」政策を求めて、ワシントンD.C.の政治家事務所付近で1千人規模の座り込みを実施した。彼らは、気候変動の問題が政治の議論の焦点になるよう、精力的に活動している。

インド人活動家リディマ・パンディが、気候変動に対する対策を怠っているとして政府を訴えたのは、なんと彼女が9歳のときだった。それ以来、リディマはグレタ・トゥーンベリら世界中の若き活動家に加わっていく。彼らは、国連で5カ国[注]に対し、気候変動の危機を無視して子どもの権利を侵害しているとして申し立てを行った。

[注] ブラジル、フランス、ドイツ、アルゼンチン、トルコの5カ国。

団結する

社会から抑圧されてきたグループの人々は、これまで歴史のなかでも、自分たちの苦しみは繋がっているという思いを分かち合ってきた。こうしたグループが手に手を取って団結することで、彼らは互いへの支援を表明し、力を結集しているのだ。

立ち退き拒否運動　1930年代

大恐慌により、アメリカでは何百万人もの人々が賃金をもらえず、家を失う危険にさらされた。「National Unemployment Council（失業者評議会）」の各都市支部に加入した人々は、みんなで友人や近隣住民の家の玄関前に立ちはだかり、大家が一家を追い出してしまわないように団結して守ったのだった。賃貸物件における立ち退き拒否運動は今日でも行われており、2011年にはニューヨーク州ロチェスターで、とある一家を守るために、「Take Back the Land（土地を取り戻せ）」という団体のメンバー80名ほどが集結。差し押さえに来た執行官らは太刀打ちできず引き上げていったという。

同性愛者たちが炭鉱夫を支援　1980年代

イギリスでは政府が各地の炭鉱の閉鎖を決定したが、その保障が不十分だとして、炭鉱労働者らが大規模なストライキを何年間も行っていた。LGBTQ+の人々は、自らのニーズが社会から省みられない辛さを身に沁みて知っていたので、ある夏のプライド・パレードで寄付金を集めると、「Lesbians and Gays Support the Miners（炭鉱夫支援同性愛者の会、LGSM）」を立ち上げた。LGSMメンバーの訪問を受けた炭鉱夫らは感動し、社会や職場でLGBTQ+の人々が直面する差別に対して自分たちも一緒に戦おうと決意。翌年のプライド・パレードには、全国炭鉱労働組合も参加したのだった。

同性愛者たちが移民を支援　2017年

LGSMが炭鉱夫コミュニティを支援したという活動に刺激を受けて、別の人権保護団体「Lesbians and Gays Support the Migrants（移民支援同性愛者の会、こちらも略称はLGSM）」も立ち上がった。60名の移民がロンドン・スタンステッド空港から西アフリカへ強制送還されそうになったとき、LGSMに加え「End Deportations（国外退去を止めさせろ）」のメンバーが飛行機に自分の身体を縛り付け、離陸を妨害する抗議を行った。この結果、当初送還予定だったうち11名の移民が、現在ではイギリスで正式に身分を保障されている。LGSMは移民の権利保護を求めて声を上げ続けており、彼らが掲げる巨大な横断幕には「クィアな人々の団結力は国境を超える」と書かれている。

自由の鎖　1989年

バルト海に面したエストニア、ラトビア、リトアニアの3国はソビエト連邦からの独立を目指していた。何百万人もの市民が手を繋いで作った「人間の鎖」は国境を越えて600キロメートルにもおよび、「バルトの道」という名前で知られている。参加者たちは、「みんなで手を繋ぐとほかの人々のエネルギーが伝わってくるので、一体感や連帯感が感じられて力が湧いてきた」と語った。そして数カ月後、まずリトアニアが独立を宣言し、やがてほかの2国もそれに続いたのだった。

誇り高き議会人たち　2020年

ポーランドでは、LGBTQ+の権利否定を公言するアンジェイ・ドゥダ大統領が再選され、活動家たちはレインボーフラッグやトランスジェンダーを象徴するものを掲げただけで、弾圧されるようになった。そこで、議会の左派メンバーは、クィアな人々のコミュニティへの支援を示すため、大胆な行動に出る。彼らは大統領の就任演説の日、服の色をコーディネートして、みんなで横に並んで立ったときに虹色に見えるようにした。欧州連合（EU）も連帯して、ポーランド内で「LGBTのいない地区」宣言をした6つの都市に対する助成を打ち切ると表明した。

トイレでの座り込み　2016年

米ノースカロライナ州でLGBTQ+の人々の市民権を奪うような法案が可決され、企業がクィアな顧客を差別することを助長し、トランスジェンダーの人々の意に反するトイレの使用を強制すると、NAACP（全米黒人地位向上協議会）の支部メンバーが立ち上がった。この法案によってLGBTQ+のアフリカ系アメリカ人が危機にさらされることへの懸念はもちろんのこと、1960年代までずっと黒人が人種隔離政策の憂き目にあう原因となったジム・クロウ法と重なるものがあったからだ。法律が、クィアな人々をまた傷つけるものになってしまってはいけない――彼らは、ノースカロライナ州の新法を「ヘイト法」と呼んで、大規模な座り込みを行った。「私たちが座り込みをするように、立法府も一旦腰を据えてきちんと考え直すべきだ」と、活動の指導者ウィリアム・バーバー牧師は語った。

結婚式を守る人たち　2011年

エジプトで「アラブの春」の革命が起きていたころ、情勢不安を受けて式場が閉鎖され、多くの結婚式が中止になった。だが、結婚を控えたカップルたちは、カイロでの抗議活動の中心地であるタハリール広場ならばきっと良い会場になる、と考えた。そこで、あるキリスト教徒のカップルが戦車に囲まれた広場の真ん中で式を挙げたとき、イスラム教徒の活動家らがその周りでぐるりと円になって、カップルが無事に祝福を受けられるようにと見守った。すると今度は、イスラム教徒が広場で祈りを捧げる際に、キリスト教徒がお返しにその周りを安全に取り囲んだのだ。こうして、タハリール広場に集まる人々は、革命の精神によってみんなで団結したのだった。

謝辞

この本が書けたのは、多くの歴史家や研究者や作家のみなさんのおかげです。

抵抗活動全般に触れている書籍で、とくに参考にさせていただいたものをご紹介します。『Beautiful Trouble』(Andrew Boyd, Dave Oswald Mitchell編)とその続編の『Beautiful Rising』(Juman Abujbara, Andrew Boyd, Dave Oswald Mitchell, Marcel Taminato 編)、『Street Spirit』(Steve Crawshaw 著) と『Small Act of Resistance』(Steve Crawshaw, John Jackson著)、『Why Civil Resistance Works』(Erica Chenoweth, Maria Stephan著)、『This is an Uprising』(Mark Engler, Paul Engler著)、『How to Change the World』(John Paul Flintoff著)、『Disobedient Objects』(Catherine Flood, Gavin Grindon著)、『Direct Action』(LA Kauffman著)、『Nonviolence』(Mark Kulansky著)、『Why It's Still Kicking Off Everywhere』(Paul Mason著)、『Fighting Sleep』(Franny Nedelman著)、『It Was Like a Fever』(Francesca Polletta著)、『Blueprint for Revolution』(Srdja Popovic著)、『Space Invaders』(Paul Routledge著)、『暗闇のなかの希望　非暴力からはじまる新しい時代』(レベッカ・ソルニット著、井上利男訳、七つ森書館、2005年)、そして、抗議活動の手法についての不朽の百科事典『The Politics of Nonviolent Action』(Gene Sharp著)です。

各章を書くにあたっては、以下の書籍の存在も欠かせませんでした。『India' s Ancient Past』(R. S. Sharma著)[カラブラ朝における反乱]、『The World Turned Upside Down』(Christopher Hill著)[レヴェラーズとディガーズ]、『Our History is The Future』(Nick Estes著)[ゴースト・ダンスとダコタ・アクセス・パイプライン]、『Abolition!』(Richard S. Reddie著)[奴隷制反対運動]、『Nonviolence』(Mark Kurlansky著)[マオリ族による抵抗運動、塩の行進、1968年5月の仏学生運動]、『Non-Violence and the French Revolution』(Micah Alpaugh著)、『Riot!』(Ian Hernon著)[ピータールー]、『'The History of May Day'』(Eric Hobsbawm著、Tribune誌の掲載記事)、『The Suffragettes in Pictures』(Diane Atkinson著)[女性参政権]、『African Women, A Modern History』(Catherine Coquery-Vidrovitch著)[アベオクタの女性たちの反乱]、『Resistance and Revolution』(Sheila Rowbotham著)[女性の団結]、『The Rebellious Life of Rosa Parks』(Jeanne Theoharis著)[公民権運動]、『Popular Protest in Palestine』(Marwan Darweish, Andrew Rigby著)、そして、児童書でありながら非常に詳細で示唆に富む2冊『Stonewall Riots』(Gayle E. Pitman著)と『Suffragette』(David Roberts)です。

ドキュメンタリーも参考にしました。Clarity Filmの『The World Against Apartheid: Have You Heard from Johannesburg?』シリーズ、そしてBBCの『Greenham Common Changed my Life』と『Storyville: The People v. The Party』[天安門事件]です。

博物館や展示会にもお世話になりました。英マンチェスターのPeople's History Museum（民衆歴史博物館）では、ピータールーの戦いをはじめイギリスで起きた抵抗活動について調査することができました。米アトランタのNational Center for Civil and Human Rights（公民権人権ナショナルセンター）、そして独ベルリンの野外展示「Revolution 89」（ウェブサイト：www.revolution89.de）も大変参考になりました。

子ども向けに書かれた抵抗活動についての本にも素晴らしいものが多くあり、本書の各章を書くうえで非常に役に立ちました。たとえば、『Challenge Everything』（Blue Sandford著）、『the Little Leaders』シリーズ（Vashti Harrison著）、『Suffragette』（David Roberts著）、『Women in Battle』（Jenny Jordahl, Marta Breen著）、『Stonewall Riots: Coming out in the streets』（Gayle E. Pitman著）、『Kid Activists』（Robin Stevenson, Allison Steinfeld著）などです。

いくつかの章では、タイトルに活動家たちの名言を引用しました。「古き世界は、炎に舞い上がる羊皮紙のように」は、ディガーズのジェラルド・ウィスタンリーの言葉から。「絨毯のように丸め込む」は、ラコタ族の指導者で語り部のレイムディアーが語った言葉（42ページに改めて全体の引用を紹介）を意訳したものです。「汝らは多数、彼らは少数」は、詩人パーシー・ビッシュ・シェリーがピータールーの虐殺について書いた『無秩序の仮面』から。「私たちは醜くない、私たちは美しくもない、私たちは怒っているのだ」は、ウーマン・リブ活動家が1970年のミス・ワールドコンテストの際に掲げたプラカードに書かれていたスローガンです。「真理の力」は、ガンディーが提唱した「サティヤーグラハ」から。「正義が水のごとく流れるようになるまで」はマーティン・ルーサー・キング・ジュニアの演説から。「現実的であれ、不可能を要求せよ」は、1968年5月の仏学生抗議活動のスローガンでした。「自由は、異論を持つ者たちのためにある」は、もとは1919年ドイツ革命を率いた女性社会主義者ローザ・ルクセンブルクの言葉で、ベルリンの壁崩壊へ向けた運動期に再び流行したものです。「新しい世界は可能である」は、シアトルの戦いにおけるスローガン。「水のごとくあれ」はブルース・リーの言葉で、香港の民主化運動のスローガンになっています。「ムバラクよ、去れ！　私の腕はもう疲れた」（144ページのプラカードの絵より）は、カイロ中心部タハリール広場で見られたスローガンで、前掲『Why It's Still Kicking Off Everywhere』（Paul Mason著）のなかで紹介されています。

本書の制作を支えてくださった方々にも、心から感謝申し上げたいと思います。

敏腕編集者のニール・ダンニクリフ、ハッティ・グリルス、マーシャ・オーウェンは、本の企画から編集まで細心の注意と情熱を注いでくれました。イアン・ブルームは、法的専門性と鋭い目線で文章をチェックしてくれました。サラ・クルックス、ジェス・アービッドソン、コレット・ホワイトハウスとキャサリン・ウォードは、デザイン・制作・販促・出版のすべての過程で計り知れないほど貢献してくれました。素晴らしいエージェント、エド・ウィルソンのおかげで、事務作業も楽しくこなすことができました。レイチェル・スタッブスは大量のイラストに彩色してくれたほか、「1968年5月」「メーデー」「女性参政権運動」のページの横断幕やポスターを美しく書いてくれました。Royal Drawing School（王立絵画学校）のエミリーのクラスの生徒たちや職員のみなさんの柔軟なサポートにも感謝を。

私たちが心身の健康を保っていられたのはアヌーシュカ・グロースとマーク・ティトル、コニー・ブッフホルツとドミノ・ブッフホルツがいたからこそです。ジャック・ラッテンベリーは早い段階から本書に目を通して、貴重な提案をしてくれました。ダックス・ロセッティは、料理をしたり話を聞いてくれたり、ジーノ・バルタリについても教えてくれました。私たちの友人、とくにクレメンス・ビエール、ソフィー・ヘルクスハイマー、シビル・プゼ、ジェンマ・カーティス、クレア・ラモント、タムシン・オモンド、クリスティン・バード、シャノン・バーンズ、ジェネル・スタッフォードも、ありがとう。一緒に抗議活動に取り組んできた仲間たちからも、大いに刺激を受けました。

とりわけ、私たちの両親はどんなときも背中を押してくれました。

そして何より、本書のページを彩る勇敢な活動家たち――世界をより良くしていくために決して歩みを止めない彼らに、大きな感謝を。

「かつての私は、大人になるまで社会をリードしていくことはできないと思っていました。
でもいまは、たった1人の子どもの声でも、世界中に届くのだと知ったのです。」

マララ・ユスフザイ